厳選

フランス語日常単語

はじめに

『厳選 フランス語日常単語』は，日常生活で頻繁に使われるフランス語を学ぶための単語集です。フランス語でのコミュニケーションに必要不可欠な1,000語を，名詞を中心に厳選して収録しました。はじめてフランス語に触れる方，フランス語の語彙を増やしたい初～中級の方に最適な一冊となっています。

フランス語は，ラテン語から発展したロマンス諸語のひとつに分類されます。スイス，ベルギーなど欧州のほか，カナダやアフリカ諸国でも公用語として使用されています。フランスの食事や文化は，日本人に馴染み深い側面もあるため，既に日本語の中に取り入れられているフランス語は少なくありません。いっぽうで，発音や文法の面では大きく異なる特徴を持ちます。英語とも違いがあるため，はじめは混乱を感じることがあるでしょう。効果的・効率的に語彙を増やす工夫が加えられている本書を活用して，楽しみながら学習を進めていくことをおすすめします。

単語学習は反復と継続が重要です。1日1ページずつでもかまわないので，少しずつ，何度も繰り返すことを心がけてください。新しい単語を覚えたら，積極的に使ってみるよう意識しましょう。

語学学習は学びたいと感じた時がチャンスです。この単語集が，みなさんの新たな世界を広げ，異文化理解を深めるのに役立つことを願っています。

本書の特長

1. 左ページに日本語，右ページにフランス語を記載。

日本語，フランス語のどちらからでも覚えられるように，見開きの構成となっています。自分にあった方法で単語学習を進めてみてください。

2. 日本語の横には英語を提示。

ヨーロッパの言語は同じ語源から派生した単語も多いため，英語の助けを借りることで，単語学習がスムーズに進みます。

3. フランス語にはカタカナで発音を記載。

単語学習のはじめの段階に，読み方の確認の足がかりとしてお役立てください。

4. 付属の音声で正確なフランス語の発音をチェック。

フランス語には日本語にない音があるので，カタカナだけでは正確に発音を表すことができません。学習効果を高めるために，付属音声を活用して，ネイティブスピーカーの発音を耳から確認する習慣をつけましょう。

5. 達成度・進捗度をページごとに確認。

各見開きの右上には，覚えた単語数を書き込むスペースを 3 回分用意しました。また，進捗度をパーセンテージで把握できるようになっています。

音声について（音声無料ダウンロード）

本書の付属音声は無料でダウンロードすることができます。下記の URL または QR コードより本書紹介ページの【無料音声ダウンロード】にアクセスしてご利用ください。

https://www.goken-net.co.jp/catalog/card.html?isbn=978-4-87615-428-9

各見開きの左上に記載された QR コードを読み取ると，その見開き分の音声（10 単語分）をまとめて聴くことができます。

注意

- ダウンロードで提供する音声は，複数のファイルを ZIP 形式で 1 ファイルにまとめています。ダウンロード後に復元（解凍）してご利用ください。ZIP 形式に対応した復元アプリを必要とする場合があります。
- 音声ファイルは MP3 形式です。モバイル端末，パソコンともに，MP3 ファイルを再生可能なアプリ，ソフトを利用して聞くことができます。
- インターネット環境によってダウンロードできない場合や，ご使用の機器によって再生できない場合があります。
- 本書の音声ファイルは，一般家庭での私的使用の範囲内で使用する目的で頒布するものです。それ以外の目的で複製，改変，放送，送信などを行いたい場合には，著作権法の定めにより著作権者等に申し出て事前に許諾を受ける必要があります。

001

0001 □ 今日 today

0002 □ 明日 tomorrow

0003 □ 明後日 day after tomorrow

0004 □ 昨日 yesterday

0005 □ 一昨日 day before yesterday

0006 □ 日，一日 day

◆「曜日」という意味でも使う。

0007 □ 週 week

0008 □ 月 month

◆月と曜日の表現は p.206 〜 207 を参照。

0009 □ 年 year

◆「年，歳」は an〚男〛アン。「年齢」は âge〚男〛アジュ。

0010 □ 世紀 century

副 **aujourd'hui**

オジョルデュイ

副 **demain**

ドゥマン

副 **après-demain**

アプレドゥマン

副 **hier**

イエル

副 **avant-hier**

アヴァンティエル

男 **jour**

ジュル

女 **semaine**

スメヌ

男 **mois**

ムワ

女 **année**

アネ

男 **siècle**

スィエクル

002

0011 □ 時間 time

◆「天気」という意味でも使う。

0012 □ ～秒 second

0013 □ ～分 minute

0014 □ ～時，時刻 hour

0015 □ AM，午前 AM

◆「朝」という意味でも使う。

0016 □ PM，午後 PM

◆女性名詞としても使う。

0017 □ 今 now

0018 □ 午前中 morning

◆「昼の催し物」という意味でも使う。

0019 □ 昼，正午 noon

0020 □ 昼間 afternoon

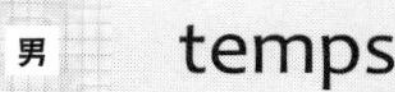

男 **temps**

タン

女 **～ seconde**

スゴンドゥ

女 **～ minute**

ミニュトゥ

女 **～ heure**

ウル

男 **matin**

マタン

男（女） **après-midi**

アプレミディ

副 **maintenant**

マントゥナン

女 **matinée**

マティネ

男 **midi**

ミディ

女 **journée**

ジュルネ

003

0021 □ 夕方，晩 evening

◆ soirée〚女〛スワレ は「夜の時間，パーティー」の意味。

0022 □ 夜 night

0023 □ 真夜中，午前０時 midnight

0024 □ カレンダー calendar

0025 □ 日付 date

0026 □ 平日 weekday

0027 □ 祝祭日 holiday

0028 □ 新年 new year

◆「元日，1月1日」として使う場合は定冠詞 le を付ける。

0029 □ クリスマス Christmas

0030 □ 誕生日 birthday

◆「生年月日」は date de naissance〚女〛ダトゥ ドゥ ネッサンス。

1	年 月 日 ／10	2	年 月 日 ／10	3	年 月 日 ／10	3％

男 **soir**

スワル

女 **nuit**

ニュイ

男 **minuit**

ミニュイ

男 **calendrier**

カランドリエ

女 **date**

ダトゥ

男 **jour ouvrable**

ジュル ウゥヴラブル

男 **jour férié**

ジュル フェリエ

男 **Nouvel An**

ヌヴェル アン

男 **Noël**

ノエル

男 **anniversaire**

アニヴァルセル

004

0031 □	季節	season
0032 □	春	spring
0033 □	夏	summer
0034 □	秋	autumn
0035 □	冬	winter
0036 □	いつも	always
0037 □	時々	sometimes
0038 □	最近	recently
0039 □	未来	future

◆「将来」は avenir 〖男〗 アヴニル。

0040 □	過去	past

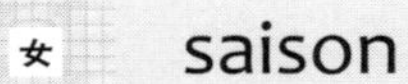

女 **saison**
セゾン

男 **printemps**
プランタン

男 **été**
エテ

男 **automne**
オトヌ

男 **hiver**
イヴェル

副 **toujours**
トゥジュル

副 **parfois**
パルフォワ

副 **récemment**
レサモン

男 **futur**
フュテュル

男 **passé**
パッセ

005

0041 ☐	東	east
0042 ☐	西	west
0043 ☐	南	south
0044 ☐	北	north
0045 ☐	上に	up
0046 ☐	下に	down
0047 ☐	左	left
0048 ☐	右	right
0049 ☐	近い	near
0050 ☐	遠い	far

1	年 月 日	2	年 月 日	3	年 月 日	
	／10		／10		／10	5％

男 **est**

エストゥ

男 **ouest**

ウェストゥ

男 **sud**

スュドゥ

男 **nord**

ノル

副 **au-dessus**

オドゥスュ

副 **au-dessous**

オドゥス

女 **gauche**

ゴシュ

女 **droite**

ドロワットゥ

形 **proche**

プロシュ

形 **lointain ／ lointaine**

ロワンタン ／ ロワンテヌ

006

0051 □ 気候，風土 climate

0052 □ 気温，温度，体温 temperature

0053 □ 湿気，湿度 humidity

0054 □ 天気予報 weather forecast

◆ bulletin météorologique の略。

0055 □ 暑い，熱い hot

◆「暑さ，暖かさ」は chaud 〚男〛 ショ。

0056 □ 寒い，冷たい cold

◆「寒さ，冷たさ」は froid 〚男〛 フルワ。

0057 □ 晴れた sunny

0058 □ 曇った cloudy

◆「雲」は nuage 〚男〛 ニュアジュ。

0059 □ 雨 rain

◆「大雨」は forte pluie 〚女〛 フォルトゥ プリュイ。

0060 □ 風 wind

◆「嵐，暴風雨」は tempête 〚女〛 タンペトゥ。

1	年　月　日 ／10	2	年　月　日 ／10	3	年　月　日 ／10	6％

男 climat

クリマ

女 température

タンペラテュル

女 humidité

ユミディテ

女 météo

メテオ

形 chaud ／ chaude

ショ ／ ショドゥ

形 froid ／ froide

フルワ ／ フルワドゥ

形 ensoleillé ／ ensoleillée

オンソレイエ ／ オンソレイエ

形 nuageux ／ nuageuse

ヌアジュ ／ ヌアジュズ

女 pluie

プリュイ

男 vent

ヴァン

007

0061 □ 雪 snow

0062 □ 霧 fog

0063 □ 雷 thunder

◆「雷雨」は orage〖男〗オラジュ。「雷鳴」は tonnerre〖男〗トネル。

0064 □ 虹 rainbow

0065 □ 空 sky

0066 □ 太陽 sun

◆天文用語として使う場合，頭文字は大文字。

0067 □ 月 moon

◆天文用語として使う場合，頭文字は大文字。

0068 □ 星 star

◆「流れ星」は étoile filante〖女〗エトゥワル フィラントゥ。

0069 □ 宇宙 space

◆「空間」という意味でも使う。

0070 □ ロケット rocket

◆「ミサイル」は missile〖男〗ミシル。

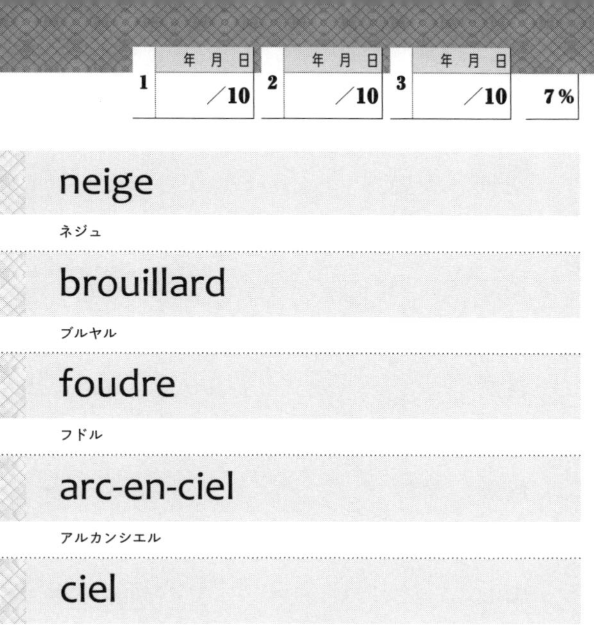

1	年　月　日 ／10	2	年　月　日 ／10	3	年　月　日 ／10	7％

女 **neige**
ネジュ

男 **brouillard**
ブルヤル

女 **foudre**
フドル

男 **arc-en-ciel**
アルカンシエル

男 **ciel**
スィエル

男 **soleil**
ソレイユ

女 **lune**
リュヌ

女 **étoile**
エトゥワル

男 **espace**
エスパス

女 **fusée**
フュゼ

008

0071 □ 空気，大気 air

0072 □ 地球 Earth

◆「土地，地面」という意味でも使う（頭文字は小文字）。

0073 □ 自然 nature

◆「環境」は environnement『男』アンヴィロヌマン。

0074 □ 風景，景色 landscape

0075 □ 山 mountain

◆「山頂，頂上」は sommet『男』ソメ。

0076 □ 川 river

◆「大きな川」は fleuve『男』フルヴ。「小川」は ruisseau『男』リュイソ。

0077 □ 海 sea

0078 □ 浜辺，砂浜 beach

◆「海岸」は côte『女』コトゥ。

0079 □ 湖 lake

0080 □ 池 pond

1	年 月 日 ／10	2	年 月 日 ／10	3	年 月 日 ／10	8%

男 **air**
エル

女 **Terre**
テル

女 **nature**
ナテュル

男 **paysage**
ペイザジュ

女 **montagne**
モンタニュ

女 **rivière**
リヴィエル

女 **mer**
メル

女 **plage**
プラジュ

男 **lac**
ラク

男 **étang**
エタン

009

0081 □ 森林 forest

0082 □ 畑 field

◆ champs 〖男複〗 シャン は「野原」の意味。

0083 □ 草 grass

◆「雑草」は mauvaise herbe 〖女〗 モヴェズ エルブ。

0084 □ 草原 meadow

0085 □ 丘 hill

0086 □ 谷 valley

◆「小さな谷」は vallon 〖男〗 ヴァロン。

0087 □ 石 stone

◆「岩，岩石」は roche 〖女〗 ロシュ。

0088 □ 砂 sand

0089 □ 砂漠 desert

0090 □ 火山 volcano

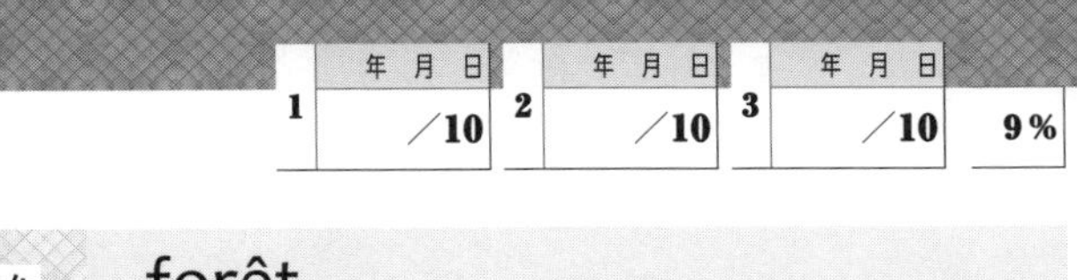

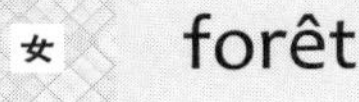

女 **forêt**
フォレ

男 **champ**
シャン

女 **herbe**
エルブ

女 **prairie**
プレリ

女 **colline**
コリヌ

女 **vallée**
ヴァレ

女 **pierre**
ピエル

男 **sable**
サブル

男 **désert**
デゼル

男 **volcan**
ヴォルカン

010

0091 □ 島 island

0092 □ 半島 peninsula

◆「(péninsule より小さな) 半島」は presqu'île 〚女〛 プレスキル。

0093 □ 大陸 continent

0094 □ 海峡 strait

0095 □ 植物 plant

0096 □ 木 tree

◆「木材」は bois 〚男〛 ブワ。

0097 □ 枝 branch

0098 □ 葉 leaf

◆「紙」という意味でも使う。

0099 □ 花 flower

0100 □ 種〈たね〉 seed

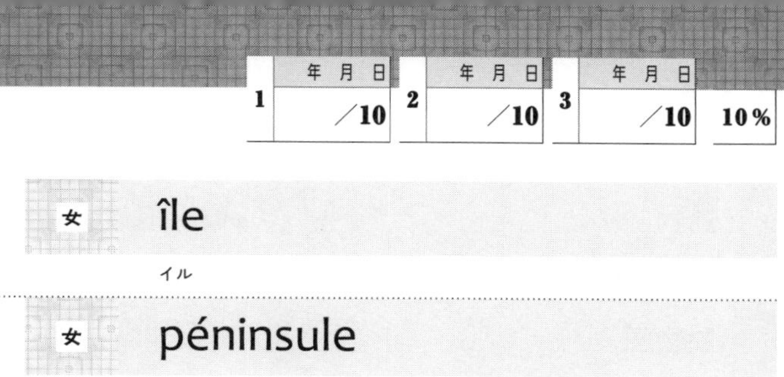

女 **île**
イル

女 **péninsule**
ペナンシュル

男 **continent**
コンティノン

男 **détroit**
デトロワ

女 **plante**
プロントゥ

男 **arbre**
アルブル

女 **branche**
ブランシュ

女 **feuille**
フェイユ

女 **fleur**
フルル

女 **graine**
グレヌ

 011

0101 □ 動物 animal

◆「獣」は bête『女』ベトゥ。

0102 □ 動物園 zoo

0103 □ 水族館 aquarium

0104 □ イヌ dog

◆「子犬」は chiot『男』ショワ。

0105 □ ネコ cat

◆「子猫」は chaton『男』シャトン。

0106 □ ウマ horse

0107 □ ウシ ox／cow

◆ bœuf は「牛肉」という意味でも使う。「子牛」は veau『男』ヴォ。

0108 □ ブタ pig

◆「子豚」は porcelet『男』ポルスレ。「豚肉」は porc『男』ポル。

0109 □ ヒツジ sheep

◆「子羊，子羊の肉」は agneau『男』アニョ。

0110 □ ヤギ goat

◆「雄ヤギ」は bouc『男』ブク。

1	年　月　日 ／10	2	年　月　日 ／10	3	年　月　日 ／10	11％

男	animal アニマル
男	zoo ゾ
男	aquarium アクアリウム
男	chien シヤン
男	chat シャ
男	cheval シュヴァル
男/女	bœuf ／ vache ブフ ／ ヴァッシュ
男	cochon コション
男	mouton ムトン
女	chèvre シェヴル

012

0111 □ クマ bear

0112 □ ゾウ elephant

0113 □ ライオン lion

◆「雌ライオン」は lionne 〚女〛 リオンヌ。

0114 □ トラ tiger

◆「雌トラ」は tigresse 〚女〛 ティグレス。

0115 □ ラクダ camel

0116 □ シカ deer

◆「雌シカ」は biche 〚女〛 ビシュ。

0117 □ オオカミ wolf

0118 □ サル monkey

0119 □ ウサギ rabbit

◆「野ウサギ」は lièvre 〚男〛 リエヴァ。

0120 □ ネズミ rat

◆「ハツカネズミ，（コンピュータの）マウス」は souris 〚女〛 スリ。

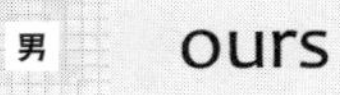

男 **ours**
ウルス

男 **éléphant**
エレフォン

男 **lion**
リヨン

男 **tigre**
ティグル

男 **chameau**
シャモ

男 **cerf**
セル

男 **loup**
ル

男 **singe**
サンジュ

男 **lapin**
ラパン

男 **rat**
ラ

013

0121 □ 鳥 bird

0122 □ ニワトリ（オンドリ／メンドリ） rooster／hen

◆「鶏肉」は poulet〖男〗プレ。「ひよこ」は poussin〖男〗プゥサン。

0123 □ ハト pigeon

0124 □ カラス crow

0125 □ ワシ eagle

0126 □ アザラシ seal

0127 □ 昆虫 insect

0128 □ 蝶 butterfly

0129 □ 蚊 mosquito

0130 □ ハエ fly

1	年　月　日 ／10	2	年　月　日 ／10	3	年　月　日 ／10	13％

男 **oiseau**
ウワゾ

男/女 **coq ／ poule**
コック ／ プゥル

男 **pigeon**
ピジョン

男 **corbeau**
コルボ

男 **aigle**
エグル

男 **phoque**
フォク

男 **insecte**
アンセクト

男 **papillon**
パピヨン

男 **moustique**
ムスティック

女 **mouche**
ムシュ

014

0131 □ 家族，家庭 family

0132 □ 両親 parents

◆ 単数形で「親戚」の意味。

0133 □ 夫婦 married couple

◆「既婚者」は marié／mariée〖男／女〗マリエ／マリエ。

0134 □ 兄弟／姉妹 brother／sister

0135 □ 父 father

◆「パパ，お父さん」は papa〖男〗パパ。

0136 □ 母 mother

◆「ママ，お母さん」は maman〖女〗ママン。

0137 □ 夫 husband

◆「男性，人間」は homme〖男〗オム。

0138 □ 妻 wife

◆「女性」という意味でも使う。「女性，婦人」は dame〖女〗ダム。

0139 □ 息子 son

0140 □ 娘 daughter

◆「若い女性」という意味でも使う。

1	年　月　日	2	年　月　日	3	年　月　日	14％
	／10		／10		／10	

女 **famille**

ファミィユ

男複 **parents**

パラン

男，男 **ménage, couple**

メナジュ，　クプル

男/女 **frère ／ sœur**

フレル　／　スル

男 **père**

ペル

女 **mère**

メル

男 **mari**

マリ

女 **femme**

ファム

男 **fils**

フィス

女 **fille**

フィユ

015

0141 □ 祖父 grandfather

◆「祖父母」は grands-parents 〚男複〛 グランパラン。

0142 □ 祖母 grandmother

0143 □ 孫 〚男／女〛 grandson／granddaughter

◆「孫たち」は petits-enfants 〚男複〛 プティザンファン。

0144 □ おじ uncle

0145 □ おば aunt

0146 □ おい nephew

0147 □ めい niece

0148 □ いとこ 〚男／女〛 cousin

0149 □ 赤ちゃん baby

◆「乳児」は nourrisson 〚男〛 ヌリソン。

0150 □ 子ども child

◆「成長」は croissance 〚女〛 クロワサンス。

男	grand-père グランペル
女	grand-mère グランメル
男/女	petit-fils ／ petite-fille プティフィス ／ プティットフィユ
男	oncle オンクル
女	tante タントゥ
男	neveu ヌヴュ
女	nièce ニエス
男/女	cousin ／ cousine クザン ／ クズィヌ
男	bébé ベベ
男女同形	enfant アンフォン

016

0151 □	少年	boy
0152 □	少女	girl
0153 □	大人，成人	adult
0154 □	高齢者	elderly (people)
0155 □	人	man
0156 □	人間	human
0157 □	人格，個性	personality
0158 □	印象，感銘	impression
0159 □	振る舞い	behavior
0160 □	態度	attitude

◆「行儀，礼儀」は manières 〚女複〛 マニエル。

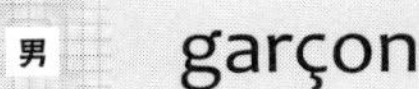

男 **garçon**

ギャルソン

女 **fillette**

フィエトゥ

男女同形 **adulte**

アデュルトゥ

女 **personne âgée**

ペルソヌ アジェ

女 **personne**

ペルソヌ

男 **être humain**

エトル ユマン

女 **personnalité**

ペルソナリテ

女 **impression**

アンプレスィヨン

男 **comportement**

コンポルトマン

女 **attitude**

アティチュドゥ

017

0161 □ 気持ち，感情 feeling

◆「感覚」は sens 〚男〛 サンス。

0162 □ 意志 will

0163 □ 喜び joy

◆「楽しみ，快楽」は plaisir 〚男〛 プレズィル。

0164 □ 怒り anger

0165 □ 悲しみ sadness

◆「(より深く具体的な) 悲しみ」は chagrin 〚男〛 シャグラン。

0166 □ 驚き surprise

0167 □ 不安 anxiety

◆「心配」は anxiété 〚女〛 アンクシエテ。

0168 □ 恐怖 fear

0169 □ 同情 pity

0170 □ 後悔 regret

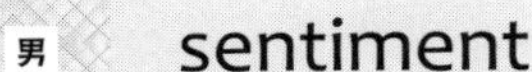

男 **sentiment**

サンティマン

女 **volonté**

ヴォロンテ

女 **joie**

ジュワ

女 **colère**

コレル

女 **tristesse**

トリステス

女 **surprise**

スュルプリズ

女 **inquiétude**

アンキエテュドゥ

女 **peur**

プル

女 **pitié**

ピティエ

男 **regret**

ルグレ

018

0171 □ 挨拶 greeting

0172 □ 習慣，癖 habit

0173 □ 会話 conversation

◆「対話」は dialogue〚男〛ディアログ。

0174 □ 約束 promise

◆「会う約束，待ち合わせ」は rendez-vous〚男〛ランデヴ。

0175 □ 準備 preparation

0176 □ 依頼 request

◆「提案，申し出」は proposition〚女〛プロポズィスィヨン。

0177 □ 援助，助け help

0178 □ 助言，アドバイス advice

0179 □ 協力 cooperation

0180 □ 感謝 gratitude

1	年 月 日	2	年 月 日	3	年 月 日	
	／10		／10		／10	18％

男 **salut**

サリュ

女 **habitude**

アビテュドゥ

女 **conversation**

コンヴェルサスィヨン

女 **promesse**

プロメス

女 **préparation**

プレパラスィヨン

女 **demande**

ドゥマンドゥ

女 **aïde**

エドゥ

男 **conseil**

コンセイユ

女 **coopération**

コオペラスィヨン

女 **gratitude**

グラティチュドゥ

019

0181 仲間 〖男／女〗 companion

0182 友人 〖男／女〗 friend

◆「仲間, 友達（カジュアルな表現）」は copain／copine 〖男／女〗 コパン／コピヌ。

0183 友情 friendship

0184 恋人 〖男／女〗 boyfriend／girlfriend

◆「婚約者」は fiancé／fiancée 〖男／女〗 フィアンセ／フィアンセ。

0185 愛, 恋愛 love

0186 結婚 marriage

◆「結婚式」という意味でも使う。

0187 離婚 divorce

0188 結婚式 wedding

0189 葬式 funeral

0190 墓 grave

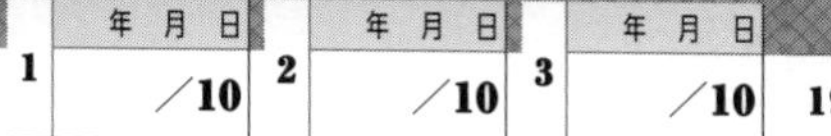

男/女 **compagnon / compagne**

コンパニョン / コンパニュ

男/女 **ami / amie**

アミ / アミ

女 **amitié**

アミティエ

男/女 **petit ami / petite amie**

プティ アミ / プティット アミ

男 **amour**

アムル

男 **mariage**

マリアジュ

男 **divorce**

ディヴォルス

女 **noce**

ノス

女複 **funérailles**

フュネラィユ

女 **tombe**

トンブ

 020

0191 □ 人生，生命，生活 life

0192 □ 妊娠 pregnancy

◆「出産」は accouchement 〖男〗 アクシュモン。

0193 □ 誕生 birth

0194 □ 死 death

0195 □ 体，身体 body

0196 □ 頭 head

0197 □ 髪 hair

◆「頭髪」は chevelure 〖女〗 シュヴリュル。

0198 □ 顔 face

◆「顔つき，顔色」という意味でも使う。

0199 □ 目 eye

◆「視線，まなざし」は regard 〖男〗 ルギャル。

0200 □ 鼻 nose

1	年 月 日 ／10	2	年 月 日 ／10	3	年 月 日 ／10	20％

女 **vie**
ヴィ

女 **grossesse**
グロセス

女 **naissance**
ネサンス

女 **mort**
モル

男 **corps**
コル

女 **tête**
テトゥ

男複 **cheveux**
シュヴ

男 **visage**
ヴィザジュ

男/男複 **œil / yeux**
ウイユ ／ ユー

男 **nez**
ネ

 021

0201 □ 耳 ear

0202 □ 口 mouth

◆「あごひげ」は barbe〖女〗バルブ。「口ひげ」は moustache〖女〗ムスタシュ。

0203 □ 唇 lip [lips]

0204 □ 歯 tooth [teeth]

◆「歯科医」は dentiste〖男女同形〗ドンティストゥ。

0205 □ 舌 tongue

◆「言語」という意味でも使う。

0206 □ のど throat

◆「うがい」は gargarisme〖男〗ガルガリスム。

0207 □ 声 voice

0208 □ 首 neck

0209 □ 肩 shoulder

0210 □ 腕 arm

1	年 月 日 ／10	2	年 月 日 ／10	3	年 月 日 ／10	21%

女 **oreille**
オレイユ

女 **bouche**
ブシュ

女複 **lèvres**
レヴル

女 **dent**
ダン

女 **langue**
ラング

女 **gorge**
ゴルジュ

女 **voix**
ヴワ

男 **cou**
ク

女 **épaule**
エポル

男 **bras**
ブラ

022

0211 □ ひじ | elbow

0212 □ 手 | hand

0213 □ 指 | finger

0214 □ 爪 | nail

0215 □ 胸 | chest

0216 □ おなか，腹 | belly

0217 □ 背中 | back

◆「腰」は reins『男複』ラン。

0218 □ 尻 | buttock [buttocks]

0219 □ 脚 | leg

◆ももから下の部位を指す。

0220 □ ひざ | knee

1	年 月 日 ／10	2	年 月 日 ／10	3	年 月 日 ／10	22％

男 **coude**

クドゥ

女 **main**

マン

男 **doigt**

ドゥワ

男 **ongle**

オングル

女 **poitrine**

プワトゥリヌ

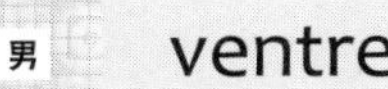

男 **ventre**

ヴァントゥル

男 **dos**

ド

女複 **fesses**

フェス

女 **jambe**

ジャンブ

男 **genou**

ジュヌ

 023

0221 □ 足 foot

◆ 足首から下の部位を指す。

0222 □ 脳 brain

0223 □ 心臓，心 heart

0224 □ 肺 lung [lungs]

0225 □ 胃 stomach

0226 □ 肝臓 liver

0227 □ 骨 bone

0228 □ 筋肉 muscle

0229 □ 皮膚，肌 skin

0230 □ 血 blood

1	年　月　日 ／10	2	年　月　日 ／10	3	年　月　日 ／10	23％

男 **pied**
ピエ

男 **cerveau**
セルヴォ

男 **cœur**
クル

男 **poumon**
プモン

男 **estomac**
エストマ

男 **foie**
フワ

男 **os**
オス

男 **muscle**
ミュスクル

女 **peau**
ポ

男 **sang**
サン

024

0231 □ 汗 sweat

0232 □ 涙 tear

0233 □ 健康 health

0234 □ 病気 disease

0235 □ 風邪 cold

0236 □ インフルエンザ influenza, flu

0237 □ 感染， 伝染病 infection

◆「感染症」は maladie infectieuse 〚女〛 マラディ アンフェクシュズ。

0238 □ 熱， 発熱 fever

◆「熱狂」という意味でも使う。

0239 □ 傷， けが injury

◆「怪我人」は blessé／blessée 〚男／女〛 ブレセ／ブレセ。

0240 □ アレルギー allergy

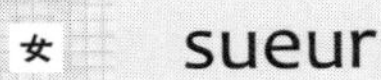

女 **sueur**
スュウル

女 **larme**
ラルム

女 **santé**
サンテ

女 **maladie**
マラディ

男 **rhume**
ルューム

女 **grippe**
グリプ

女 **infection**
アンフェクスィヨン

女 **fièvre**
フィエヴル

女 **blessure**
ブレスュル

女 **allergie**
アレルジ

025

0241 □ 痛み — pain

◆ おもに肉体的な痛みを指す。「心痛，苦労」は peine 〖女〗 ペヌ。

0242 □ 頭痛 — headache

0243 □ めまい — dizziness

0244 □ くしゃみ — sneeze

0245 □ せき — cough

0246 □ 腹痛 — stomachache

◆「下痢」は diarrhée 〖女〗 ディアレ。

0247 □ 空腹 — hunger

0248 □ のどの渇き — thirst

0249 □ ストレス — stress

0250 □ 緊張 — nervousness

女 douleur

ドゥルル

男 mal de tête

マル ドゥ テット

男 vertige

ヴェルティジュ

男 éternuement

エテルニュモン

女 toux

トゥ

男 mal de ventre

マル ドゥ ヴァントル

女 faim

ファン

女 soif

ソワフ

男 stress

ストレス

女 tension

テンスィヨン

026

0251 □ 病院 hospital

◆「診療所」は clinique 〘女〙 クリニク。

0252 □ 救急車 ambulance

0253 □ 医者 doctor

◆「医学博士」は docteur／docteure 〘男／女〙 ドクトゥル／ドクトゥル。

0254 □ 看護師 〘男／女〙 nurse

0255 □ 患者 〘男／女〙 patient

◆「病人，患者」は malade 〘男女同形〙 マラドゥ。

0256 □ 診察 consultation

◆「検査」は examen 〘男〙 エグザマン。

0257 □ 手術 surgery

◆「作業，操作」という意味でも使う。

0258 □ 注射 injection

0259 □ 包帯 bandage

0260 □ 処方せん prescription

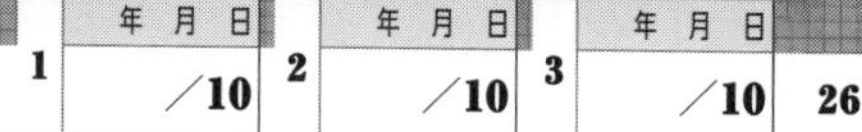

男 **hôpital**

オピタル

女 **ambulance**

アンビュランス

男 **médecin**

メドゥサン

男/女 **infirmier ／ infirmière**

アンフィルミエ ／ アンフィルミエル

男/女 **patient ／ patiente**

パシャン ／ パシャントゥ

女 **consultation**

コンスュルタスィヨン

女 **opération**

オペラスィヨン

女 **injection**

アンジェクスィヨン

男 **bandage**

バンダジュ

女 **ordonnance**

オルドナンス

027

0261 □ 薬剤師　〖男／女〗 pharmacist

0262 □ 薬，　薬剤 medicine

0263 □ 錠剤 tablet

0264 □ 塗り薬 ointment

0265 □ 化粧品 cosmetic

0266 □ 口紅 lipstick

0267 □ 香水 perfume

0268 □ タバコ，　タバコ屋 tobacco

◆「(紙巻) タバコ」は cigarette〖女〗 スィギャレトゥ。

0269 □ ライター lighter

0270 □ 禁煙　《掲示》 No smoking

◆「喫煙者」は fumeur／fumeuse〖男／女〗 フュムル／フュムズ。

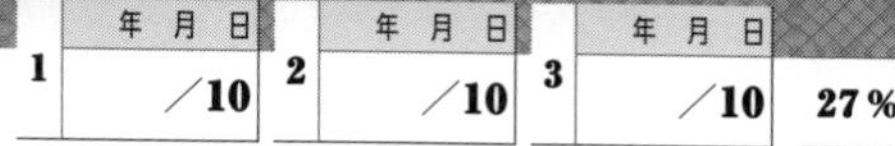

男/女 **pharmacien／pharmacienne**

ファルマスィヤン ／ ファルマスィエヌ

男 **médicament**

メディキャマン

男 **comprimé**

コンプリメ

男 **onguent**

オンゴン

男 **cosmétique**

コスメティック

男 **rouge (à lèvres)**

ルジュ（ア レヴル）

男 **parfum**

パルファン

男 **tabac**

タバ

男 **briquet**

ブリケ

Défense de fumer

デファンス ドゥ フュメ

028

0271 □ 衣服 clothes

0272 □ 襟 collar

0273 □ 袖 sleeve

0274 □ シャツ，ワイシャツ shirt

◆「シャツ《女性用》」は chemisier 〖男〗 シュミジエ。

0275 □ ブラウス blouse

0276 □ T シャツ t-shirt

0277 □ セーター sweater

0278 □ ズボン pants

0279 □ スカート skirt

0280 □ ジャケット jacket

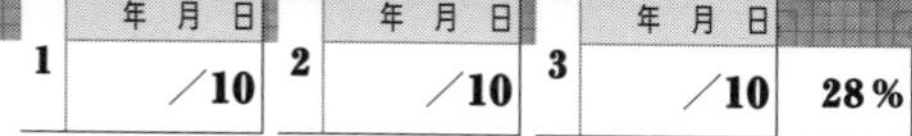

男複 **vêtements**
ヴェトゥマン

男 **col**
コル

女 **manche**
マンシュ

女 **chemise**
シュミズ

女 **blouse**
ブルーズ

男 **tee-shirt**
ティシャルトゥ

男 **pull**
ピュル

男 **pantalon**
パンタロン

女 **jupe**
ジュプ

女 **veste**
ヴェストゥ

029

0281 □ コート　coat

0282 □ スーツ　《男性用》　suit

◆「スーツ《女性用》」は tailleur 〖男〗 タイユル。

0283 □ ドレス，ワンピース　dress

0284 □ 下着　underwear

0285 □ 靴下　sock [socks]

0286 □ ストッキング　stocking [stockings]

◆「(太ももまでの長さの) ストッキング，長靴下」は bas 〖男〗 バ。

0287 □ 靴　shoe [shoes]

0288 □ スニーカー　sneaker [sneakers]

◆ sneakers 〖男〗 スニカーズ という表現もある。

0289 □ ブーツ　boot [boots]

0290 □ (つばのある) 帽子　hat

◆「(つばのない) 帽子」は bonnet 〖男〗 ボネ。

男 **manteau**

マント

男 **costume**

コステュム

女 **robe**

ロブ

男複 **sous-vêtements**

スゥヴェトマン

女複 **chaussettes**

ショセトゥ

男複 **collants**

コロン

女複 **chaussures**

ショスュル

男複 **baskets**

バスケット

女複 **bottes**

ボット

男 **chapeau**

シャポ

030

0291 □	メガネ	glasses
0292 □	ネクタイ	tie
0293 □	ベルト	belt
0294 □	ハンカチ	handkerchief
0295 □	腕時計	watch
0296 □	財布	wallet
0297 □	宝石，アクセサリー	jewelry
0298 □	ネックレス	necklace
0299 □	イヤリング，ピアス	earring [earrings]
0300 □	指輪	ring

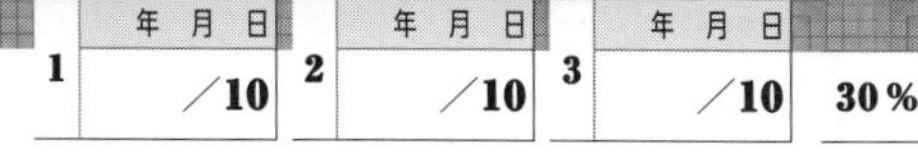

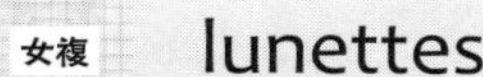

女複 **lunettes**

リュネットゥ

女 **cravate**

クラヴァト

女 **ceinture**

サンテュル

男 **mouchoir**

ムシュワル

女 **montre**

モントゥル

男 **portefeuille**

ポルトゥフェイユ

男 **bijou**

ビジュ

男 **collier**

コリエ

女複 **boucles d’oreilles**

ブクル ドレイユ

女 **bague**

バグ

031

0301 □ 手袋 glove [gloves]

0302 □ マフラー scarf

◆「スカーフ」は foulard『男』フラル。

0303 □ 傘 umbrella

0304 □ バッグ，袋 bag

0305 □ ハンドバッグ handbag

◆「ショルダーバッグ」は sac à bandoulière『男』サック ア バンドゥリエル。

0306 □ リュックサック backpack

0307 □ スーツケース suitcase

0308 □ 針 needle

◆「ミシン」は machine à coudre『女』マシヌ ア クドゥル。

0309 □ 糸 thread

0310 □ 布，織物 fabric

◆「皮革，レザー」は cuir『男』キュイル。

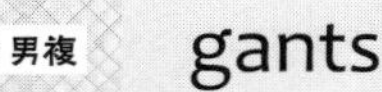

男複 **gants**
ガン

女 **écharpe**
エシャルプ

男 **parapluie**
パラプリュイ

男 **sac**
サク

男 **sac à main**
サク ア マン

男 **sac à dos**
サク ア ド

女 **valise**
ヴァリズ

女 **aiguille**
エギュイユ

男 **fil**
フィル

男 **tissu**
ティスュ

032

0311	綿，コットン	cotton
0312	絹，シルク	silk
0313	毛[糸]，ウール	wool
0314	色	color
0315	赤	red
0316	青	blue
0317	黄	yellow
0318	緑	green
0319	紫色	purple
0320	茶色	brown

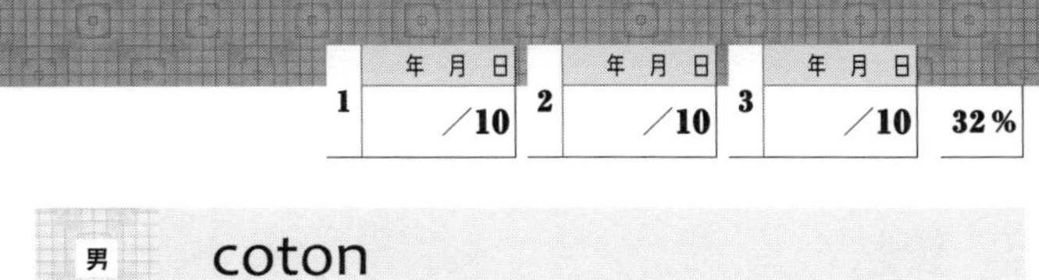

男 **coton**

コトン

女 **soie**

スワ

女 **laine**

レヌ

女 **couleur**

クルル

男 **rouge**

ルジュ

男 **bleu**

ブル

男 **jaune**

ジョヌ

男 **vert**

ヴェル

男 **violet**

ヴォレ

男 **brun**

ブラン

0321 □ 灰色 gray

0322 □ 黒 black

0323 □ 白 white

0324 □ 家 house

0325 □ 鍵 key

0326 □ 家賃 rent

0327 □ 引っ越し moving

0328 □ 住所，宛先 address

0329 □ 集合住宅，マンション apartment building

◆「アパルトマン」は appartement 『男』 アパルトゥマン。「ワンルームマンション」は studio 『男』 ステュディオ。

0330 □ 階，層 floor

1	年　月　日	2	年　月　日	3	年　月　日	
	／10		／10		／10	33％

男 **gris**

グリ

男 **noir**

ヌワル

男 **blanc**

ブラン

女 **maison**

メゾン

女 **clé**

クレ

男 **loyer**

ロワイエ

男 **déménagement**

デメナジュモン

女 **adresse**

アドレス

男 **immeuble（d'habitation）**

イムブル（ダビタスィヨン）

男 **étage**

エタジュ

034

0331 □ 部屋 room

◆「硬貨」という意味でも使う。「小部屋」は cabinet 『男』 キャビネ。

0332 □ 玄関 entrance

0333 □ 廊下 corridor

0334 □ 応接間 living room

◆「リビングルーム，居間」は salle de séjour 『女』 サル ドゥ セジュル。

0335 □ キッチン kitchen

◆「料理」という意味でも使う。

0336 □ 寝室 bedroom

0337 □ ダイニングルーム dining room

◆ salle 『女』 サル は「(特定の目的を持つ) 部屋」の意味。

0338 □ 地下室 basement

0339 □ バルコニー balcony

0340 □ 車庫，ガレージ garage

◆「自動車整備工場」という意味でも使う。

女 **pièce**

ピエス

男 **vestibule**

ヴェスティビュル

男 **couloir**

クルワル

男 **salon**

サロン

女 **cuisine**

キュイズィヌ

女 **chambre (à coucher)**

シャンブル（ア クシェ）

女 **salle à manger**

サル ア マンジェ

男 **sous-sol**

スゥ ソル

男 **balcon**

バルコン

男 **garage**

ガラジュ

035

0341 □ 浴室，バスルーム bath

0342 □ シャワー shower

0343 □ トイレ bathroom

◆「男性用」は Hommes〚男〛オム。「女性用」は femmes〚女〛ファム。

0344 □ ドア door

◆「門」という意味でも使う。

0345 □ 階段 stairs

0346 □ 壁 wall

0347 □ 床 floor

0348 □ 窓 window

◆「窓ガラス」は vitre〚女〛ヴィトゥル。

0349 □ 屋根 roof

0350 □ 庭 garden

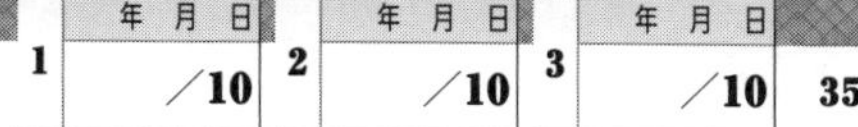

女 **salle de bain**

サル ドゥ バン

女 **douche**

ドゥシュ

女複 **toilettes**

トゥワレトゥ

女 **porte**

ポルトゥ

男 **escalier**

エスカリエ

男 **mur**

ミュル

男 **sol**

ソル

女 **fenêtre**

フネトゥル

男 **toit**

トゥワ

男 **jardin**

ジャルダン

036

0351 □ 中庭 courtyard

◆「校庭，裁判所」という意味でも使う。

0352 □ 家具 furniture

◆「インテリア，内部」は intérieur 〖男〗 アンテリユル。

0353 □ テーブル table

0354 □ 机 desk

◆「オフィス，会社，役所，書斎」という意味でも使う。

0355 □ いす chair

0356 □ ソファ sofa

0357 □ 洋服ダンス，キャビネット wardrobe

0358 □ 食器棚 cupboard

0359 □ 収納棚 shelf

0360 □ カーテン curtain

女 **cour**

クル

男 **meuble**

ムブル

女 **table**

タブル

男 **bureau**

ビュロ

女 **chaise**

シェズ

男 **canapé**

カナペ

女 **armoire**

アルムワル

男 **buffet**

ビュッフェ

女 **étagère**

エタジェル

男 **rideau**

リド

037

0361 □ じゅうたん carpet

0362 □ ベッド bed

0363 □ まくら pillow

0364 □ 毛布 blanket

◆「カバー」という意味でも使う。

0365 □ 照明 lighting

◆「光，照明」は lumière〚女〛リュミエル。

0366 □ 電灯，ランプ lamp

0367 □ ろうそく candle

0368 □ エアコン air conditioner

0369 □ 暖房器具 heater

◆「暖炉」は cheminée〚女〛シュミネ。

0370 □ 掛け時計，置き時計 clock

◆「目覚まし時計」は réveil〚男〛レヴェイユ。

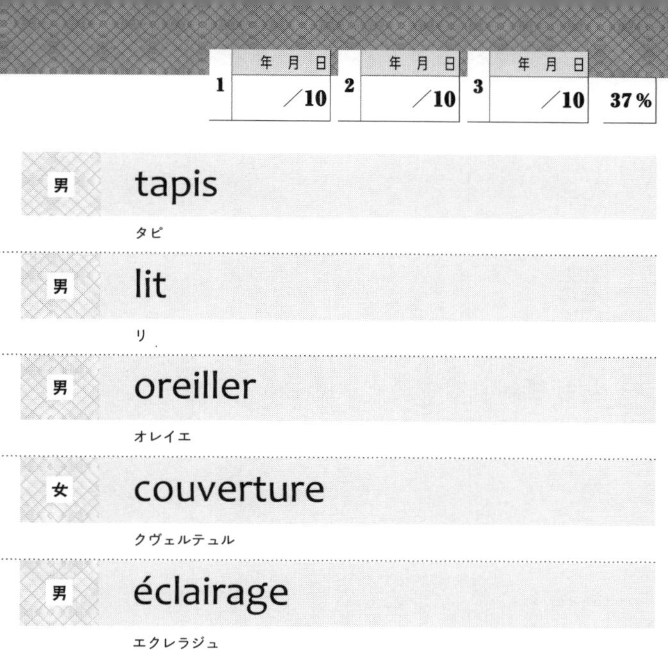

	年　月　日		年　月　日		年　月　日	
1	／10	2	／10	3	／10	37％

男 **tapis**

タピ

男 **lit**

リ

男 **oreiller**

オレイエ

女 **couverture**

クヴェルテュル

男 **éclairage**

エクレラジュ

女 **lampe**

ランプ

女 **bougie**

ブジ

男 **climatiseur**

クリマティズゥル

男 **chauffage**

ショファジュ

女 **pendule**

ポンデュル

038

0371 □ 花瓶 vase

0372 □ 人形 doll

0373 □ おもちゃ toy

0374 □ 鏡 mirror

◆「洗面台」は lavabo『男』ラヴァボ。

0375 □ タオル towel

◆「ナプキン《食卓用》」という意味でも使う。

0376 □ 石けん soap

0377 □ 歯ブラシ toothbrush

◆「歯磨き粉」は dentifrice『男』ドンティフリス。

0378 □ シャンプー shampoo

0379 □ ヘアブラシ hairbrush

◆「くし」は peigne『男』ペニュ。

0380 □ ドライヤー hair dryer

◆ sèche-cheveux『男』セッシュヴ という表現もある。

男 vase
ヴァズ

女 poupée
プペ

男 jouet
ジュエ

男 miroir
ミルワル

女 serviette
セルヴィエトゥ

男 savon
サヴォン

女 brosse à dents
ブロス ア ドン

男 shampo(o)ing
シャンプワン

女 brosse à cheveux
ブロス ア シュヴュ

男 séchoir (à cheveux)
セシュワル（ア シュヴュ）

039

0381 □ 家事 housework

◆ ménage 〖男〗 メナジュ は「家事（特に掃除）」の意味。

0382 □ 掃除 cleaning

0383 □ 掃除機 vacuum cleaner

0384 □ ほうき broom

0385 □ 洗剤 detergent

◆「洗濯洗剤」は lessive 〖女〗 レシヴ。

0386 □ スポンジ sponge

0387 □ バケツ bucket

0388 □ 電気，電力 electricity

0389 □ スイッチ switch

◆「ボタン」は bouton 〖男〗 ブトン。

0390 □ コンセント outlet

◆「取ること，握ること」という意味でも使う。

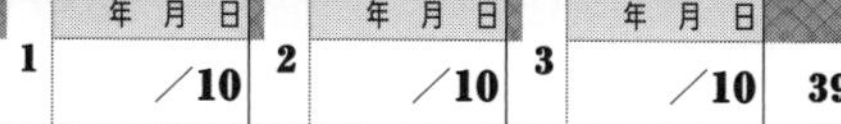

男複 **travaux ménagers**

トラヴォ メナジェ

男 **nettoyage**

ネトワヤジュ

男 **aspirateur**

アスピラトゥル

男 **balai**

バレ

男 **détergent**

デテルジャン

女 **éponge**

エポンジュ

男 **seau**

ソ

女 **électricité**

エレクトゥリスィテ

男 **interrupteur**

アンテリュプトゥル

女 **prise (de courant)**

プリズ（ドゥ クーラン）

040

0391 □ 洗濯 laundry

0392 □ 洗濯機 washing machine

0393 □ アイロン iron

◆「(衣服の)しわ，折り目」は plis 『男複』 プリ。

0394 □ 冷蔵庫 refrigerator

◆「冷蔵庫（カジュアルな表現)」は frigo 『男』 フリゴ。

0395 □ 電子レンジ microwave

0396 □ フライパン frying pan

0397 □ 鍋 pot

◆「深鍋」は marmite 『女』 マルミットゥ。

0398 □ やかん，ケトル kettle

0399 □ 缶，水筒 can

0400 □ 瓶，ボトル bottle

1	年 月 日 ／10	2	年 月 日 ／10	3	年 月 日 ／10	40%

男 lavage

ラヴァジュ

女 machine à laver

マシヌ ア ラヴェ

男 fer (à repasser)

フェル（ア ルパセール）

男 réfrigérateur

レフリジェラトゥル

男 (four à) micro-ondes

（フル ア）ミクロオンド

女 poêle

プワル

女 casserole

カスロル

女 bouilloire

ブユワル

男 bidon

ビドン

女 bouteille

ブテイユ

041

0401 □ ゴミ箱 trash can

◆「ゴミ」は déchets〘男複〙デシェ，ordures〘女複〙オルデュル。

0402 □ 食器 tableware

0403 □ スプーン spoon

0404 □ フォーク fork

0405 □ ナイフ，包丁 knife

0406 □ 皿 plate

◆「(一皿分の) 料理」という意味でも使う。

0407 □ グラス，コップ glass

◆「ガラス」という意味でも使う。

0408 □ カップ cup

0409 □ ボウル，深皿 bowl

0410 □ コーヒーポット coffee pot

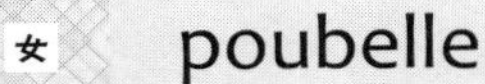

女 **poubelle**

プベル

女 **vaisselle**

ヴェセル

女 **cuillère**

キュイエル

女 **fourchette**

フルシェトゥ

男 **couteau**

クト

女 **assiette**

アスィエトゥ

男 **verre**

ヴェル

女 **tasse**

タス

男 **bol**

ボル

女 **cafetière**

キャフティエル

042

0411 □ 食事 meal

0412 □ 朝食 breakfast

0413 □ 昼食 lunch

0414 □ 夕食 dinner

0415 □ パン bread

◆「パン屋」は boulangerie 〚女〛 ブランジュリ。

0416 □ 米 rice

0417 □ 小麦粉 flour

◆「小麦」は blé 〚男〛 ブレ。

0418 □ 卵 egg

◆「オムレツ」は omelette 〚女〛 オムレトゥ。

0419 □ チーズ cheese

0420 □ バター butter

◆「油，オイル」は huile 〚女〛 ユイル。

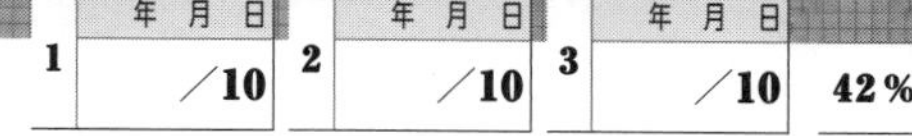

1 年 月 日 ／10 2 年 月 日 ／10 3 年 月 日 ／10 42％

男 repas

ルパ

男 petit déjeuner

プティ デジュネ

男 déjeuner

デジュネ

男 dîner

ディネ

男 pain

パン

男 riz

リ

女 farine（de blé）

ファリヌ（ドゥ ブレ）

男 œuf

ウフ

男 fromage

フロマジュ

男 beurre

ブル

043

0421 □ 肉　《食肉》 meat

◆「精肉店」は boucherie〖女〗ブシュリ。

0422 □ 魚　《食用》 fish

0423 □ 貝　《食用》 shellfish

0424 □ エビ shrimp

0425 □ 牡蠣〈カキ〉 oyster

◆「ムール貝」は moule〖女〗ムゥル。

0426 □ ハム ham

0427 □ ソーセージ sausage

0428 □ （インゲン）豆 bean [beans]

0429 □ キノコ mushroom

0430 □ 野菜 vegetable

1	年　月　日 ／10	2	年　月　日 ／10	3	年　月　日 ／10	43％

女 **viande**
ヴィヤンドゥ

男 **poisson**
プワソン

男 **coquillage**
コキヤジュ

女 **crevette**
クルヴェットゥ

女 **huître**
ユイトゥル

男 **jambon**
ジャンボン

女 **saucisse**
ソゥシス

男 **haricot**
アリコ

男 **champignon**
シャンピニオン

男 **légume**
レギュム

044

0431 トマト tomato

0432 ジャガイモ potato

0433 ニンジン carrot

0434 タマネギ onion

0435 キャベツ cabbage

0436 カボチャ pumpkin

0437 ナス eggplant

0438 キュウリ cucumber

0439 ズッキーニ zucchini

0440 アスパラガス asparagus

1	年 月 日 ／10	2	年 月 日 ／10	3	年 月 日 ／10	44 %

女 **tomate**

トマトゥ

女 **pomme de terre**

ポム ドゥ テル

女 **carotte**

キャロトゥ

男 **oignon**

オニョン

男 **chou**

シュ

女 **citrouille**

シトゥルイユ

女 **aubergine**

オベルジヌ

男 **concombre**

コンコンブル

女 **courgette**

クルジェットゥ

女 **asperge**

アスペルジュ

045

0441 □	果物	fruit [fruits]
0442 □	リンゴ	apple
0443 □	ブドウ	grape
0444 □	サクランボ	cherry
0445 □	イチゴ	strawberry
0446 □	モモ	peach
0447 □	レモン	lemon
0448 □	オレンジ	orange
	◆「オレンジ色」という意味でも使う（この場合は男性名詞）。	
0449 □	バナナ	banana
0450 □	(洋) ナシ	pear

1	年　月　日 ／10	2	年　月　日 ／10	3	年　月　日 ／10	45％

男 **fruit**
フリュイ

女 **pomme**
ポム

男 **raisin**
レザン

女 **cerise**
スリズ

女 **fraise**
フレズ

女 **pêche**
ペシュ

男 **citron**
スィトゥロン

女 **orange**
オランジュ

女 **banane**
バナヌ

女 **poire**
プワル

0451 □ お菓子，菓子店　confectionery

◆「スイーツ，ケーキ屋」は pâtisserie〖女〗パティスリ。

0452 □ ケーキ　cake

◆「パティシエ」は pâtissier／pâtissière〖男／女〗パティスィエ／パティスィエル。

0453 □ クリーム　cream

0454 □ クッキー，ビスケット　cookie

0455 □ キャンディ，あめ　candy

0456 □ チョコレート　chocolate

0457 □ アイスクリーム　ice cream

◆「氷」という意味でも使う。

0458 □ 調味料　seasoning

0459 □ 砂糖　sugar

0460 □ 塩　salt

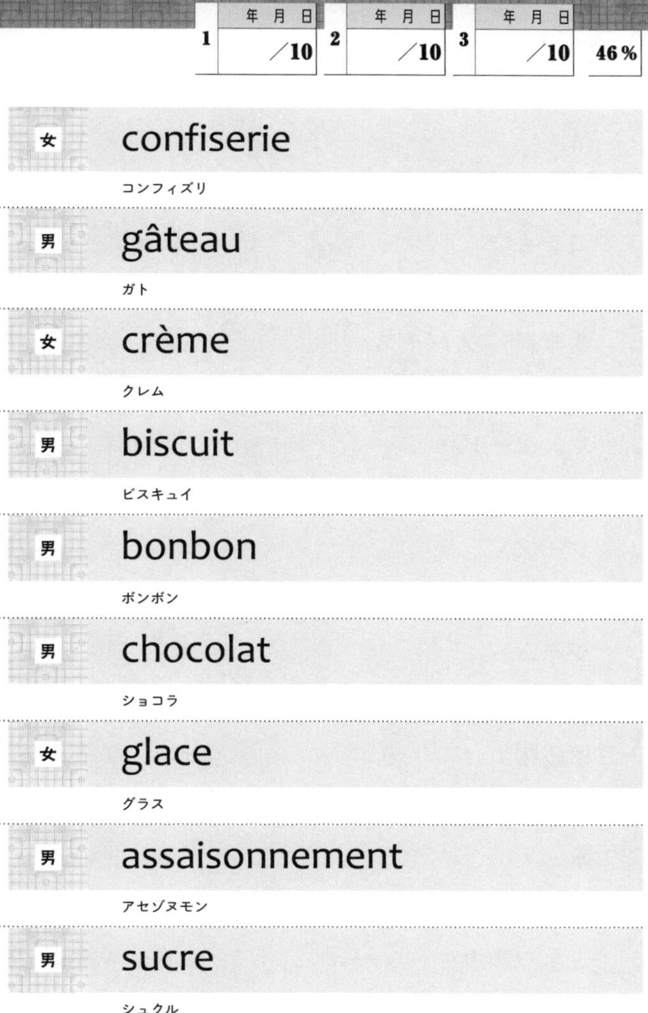

	年　月　日		年　月　日		年　月　日	
1	／10	2	／10	3	／10	46％

女 **confiserie**
コンフィズリ

男 **gâteau**
ガト

女 **crème**
クレム

男 **biscuit**
ビスキュイ

男 **bonbon**
ボンボン

男 **chocolat**
ショコラ

女 **glace**
グラス

男 **assaisonnement**
アセゾヌモン

男 **sucre**
シュクル

男 **sel**
セル

047

0461 □ 酢 vinegar

0462 □ コショウ pepper

◆「ピーマン」は poivron 〖男〗 ポワヴロン。「唐辛子」は piment 〖男〗 ピマン。

0463 □ 香辛料， スパイス spice

0464 □ マスタード mustard

0465 □ ソース sauce

0466 □ ジャム jam

0467 □ 飲み物 drink

0468 □ 水 water

0469 □ ミネラルウォーター mineral water

0470 □ ジュース juice

男 vinaigre

ヴィネグル

男 poivre

プワヴル

女 épice

エピス

女 moutarde

ムタルドゥ

女 sauce

ソゥス

女 confiture

コンフィテュル

女 boisson

ブワソン

女 eau

オ

女 eau minérale

オ ミネラル

男 jus

ジュ

048

0471 □ ビール　beer

◆「アルコール」は alcool 〚男〛 アルコル。

0472 □ ワイン　wine

◆「赤ワイン」は vin rouge 〚男〛 ヴァン ルジュ。「白ワイン」は vin blanc 〚男〛 ヴァン ブラン。

0473 □ シャンパン　champagne

0474 □ シードル，りんご酒　apple cidre

0475 □ コーヒー　coffee

◆「カフェ」という意味でも使う。

0476 □ 紅茶　tea

0477 □ ミルク，牛乳　milk

0478 □ レストラン　restaurant

0479 □ ビストロ，居酒屋　bistro

0480 □ メニュー　menu

◆「コース料理」という意味でも使う。

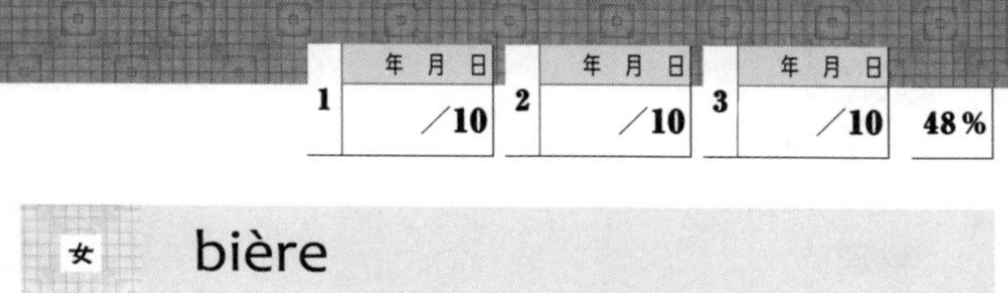

女 **bière**
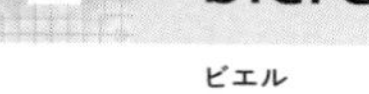
ビエル

男 **vin**
ヴァン

男 **champagne**
シャンパニュ

男 **cidre**
スィドゥル

男 **café**
キャフェ

男 **thé**
テ

男 **lait**
レ

男 **restaurant**
レストラン

男 **bistro(t)**
ビストゥロ

男 **menu**
ムニュ

049

0481 □ 料理 dish

◆「大皿」という意味でも使う。

0482 □ オードブル， 前菜 appetizer

0483 □ スープ soup

0484 □ サラダ salad

0485 □ メインディッシュ main dish

0486 □ デザート dessert

0487 □ 料理人 〚男／女〛 cook

◆「シェフ」は chef〚男女同形〛シェフ。

0488 □ 接客係 〚男／女〛 server

0489 □ 注文 order

0490 □ サービス service

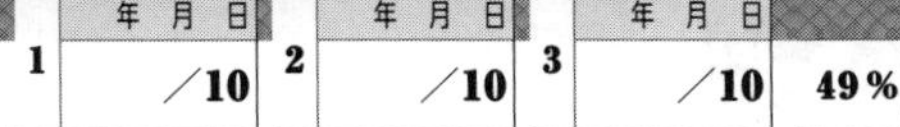

男 **plat**

プラ

男 **hors-d'œuvre**

オルドゥヴル

女 **soupe**

スゥプ

女 **salade**

サラドゥ

男 **plat principal**

プラ プランシパル

男 **dessert**

デセル

男/女 **cuisinier / cuisinière**

キュイジニエ / キュイジニエル

男/女 **serveur / serveuse**

セルヴル / セルヴズ

女 **commande**

コマンドゥ

男 **service**

セルヴィス

050

0491 □	店	shop
0492 □	市場，マーケット	market
0493 □	スーパーマーケット	supermarket
0494 □	ショッピングモール	mall
0495 □	デパート	department store
0496 □	売店，キオスク	kiosk
0497 □	コンビニ	convenience store

◆もともとは「小型スーパー」の意味。

0498 □	ドラッグストア	drugstore

◆「薬局」という意味でも使う。

0499 □	(買い物) 客　〖男／女〗	customer
0500 □	店員，販売員　〖男／女〗	salesperson

男 **magasin**

マガザン

男 **marché**

マルシェ

男 **supermarché**

スュペルマルシェ

男 **centre commercial**

サントゥル コメルシアル

男 **grand magasin**

グラン マガザン

男 **kiosque**

キヨスク

女 **supérette**

スュペレット

女 **pharmacie**

ファルマスィ

男/女 **client ／ cliente**

クリヤン ／ クリヤントゥ

男/女 **vendeur ／ vendeuse**

ヴァンドゥル ／ ヴァンドゥズ

051

0501 □ 買い物 purchase

0502 □ 値段 price

0503 □ 値引き，割引 discount

0504 □ バーゲン，セール sale

0505 □ 現金 cash

◆ 単数形で「種類」の意味。

0506 □ クレジット credit

◆「クレジットカード」は carte (de crédit)〖女〗キャルトゥ ドゥ クレディ。

0507 □ おつり，小銭 change

0508 □ チップ tip

0509 □ 領収書 receipt

◆「レシート」は ticket de caisse〖男〗ティケ ドゥ ケス。

0510 □ レジ register

◆「箱」という意味でも使う。

1	年　月　日 /10	2	年　月　日 /10	3	年　月　日 /10	51%

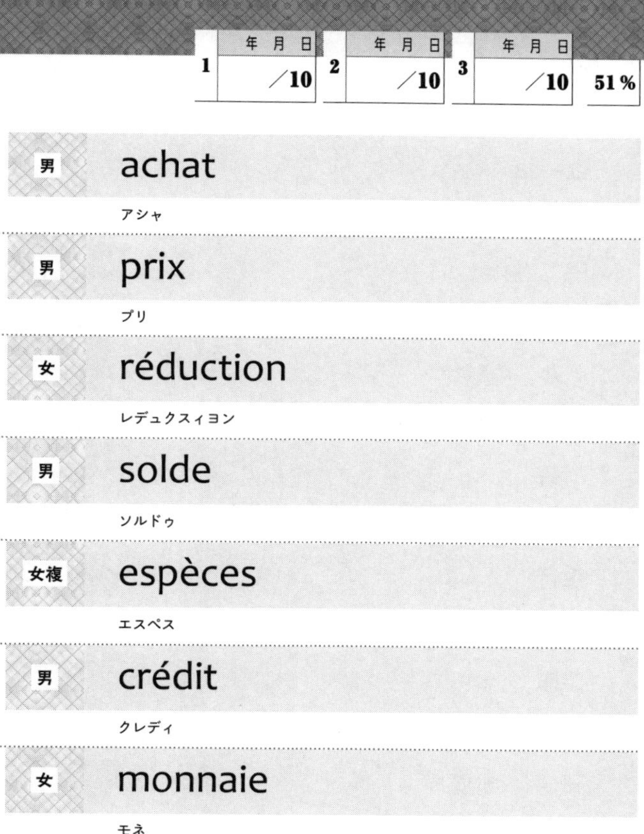

男 **achat**
アシャ

男 **prix**
プリ

女 **réduction**
レデュクスィヨン

男 **solde**
ソルドゥ

女複 **espèces**
エスペス

男 **crédit**
クレディ

女 **monnaie**
モネ

男 **pourboire**
プゥルブワル

男 **reçu**
ルスュ

女 **caisse**
ケス

052

0511 □ ユーロ　《通貨》 euro

0512 □ 円　《通貨》 yen

0513 □ ドル　《通貨》 dollar

0514 □ 両替 currency exchange

◆「両替所」は bureau de change『男』ビュロ ドゥ シャンジュ。

0515 □ 銀行 bank

0516 □ 口座 account

0517 □ 郵便，郵便局 post office

0518 □ ポスト mailbox

◆「箱，缶，容器」という意味でも使う。

0519 □ 切手 stamp

0520 □ はがき postcard

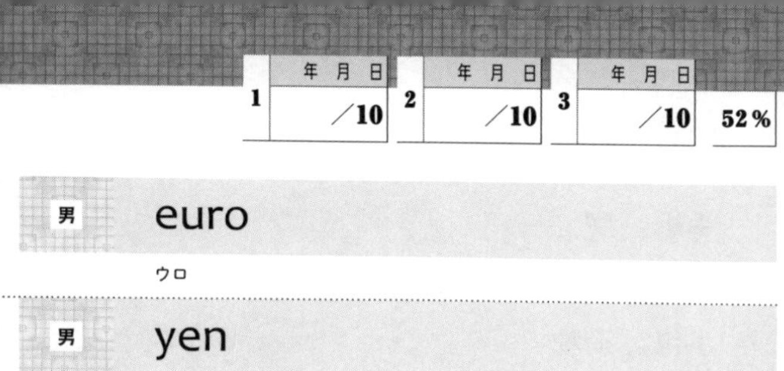

男 **euro**

ウロ

男 **yen**

イェン

男 **dollar**

ドラル

男 **change**

シャンジュ

女 **banque**

バンク

男 **compte**

コントゥ

女 **poste**

ポストゥ

女 **boîte (aux lettres)**

ブワトゥ（オ レトゥル）

男 **timbre**

タンブル

女 **carte (postale)**

キャルトゥ（ポスタル）

053

0521 □ 手紙，字 letter

0522 □ 小包，荷物 parcel

◆「(colis より小さい) 包み」は paquet 〖男〗 パケ。

0523 □ 速達 express

0524 □ 配達 delivery

0525 □ 差出人 〖男／女〗 sender

0526 □ 受取人 recipient

0527 □ 名前（ファーストネーム） first name

0528 □ 名前（姓，名字） last name

0529 □ 電話番号 telephone number

◆ numéro 〖男〗 ニュメロ は「番号」の意味。

0530 □ 身分証明書 identification

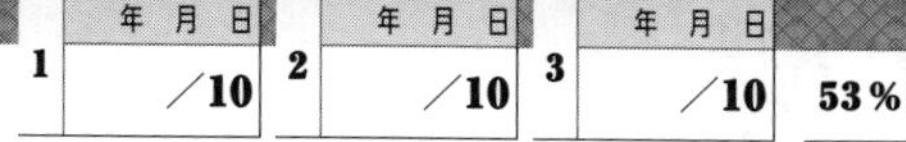

女 **lettre**

レトゥル

男 **colis**

コリ

男 **exprès**

エクスプレス

女 **livraison**

リヴレゾン

男/女 **expéditeur ／ expéditrice**

エクスペディトゥル ／ エクスペディトゥリス

男女同形 **destinataire**

デスティナテル

男 **prénom**

プレノン

男 **nom**

ノン

男 **numéro de téléphone**

ニュメロ ドゥ テレフォン

女 **carte d'identité**

キャルトゥ ディダンティテ

054

0531 □ 交通 | traffic

◆「輸送，運送」は transport〚男〛トゥランスポル。

0532 □ 道，通り | street

◆「小道」は chemin〚男〛シュマン。

0533 □ 大通り | avenue

0534 □ 角〈かど〉，隅〈すみ〉 | corner

0535 □ 交差点，十字路 | intersection

0536 □ 横断歩道 | crosswalk

◆「歩道」は trottoir〚男〛トゥロトゥワル。

0537 □ 信号（機） | traffic light

◆「信号，標識」は signal〚男〛スィニャル。

0538 □ 橋 | bridge

0539 □ 停留所 | stop

0540 □ 歩行者 | pedestrian

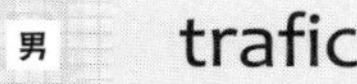

男 **trafic**

トラフィック

女 **rue**

リュ

男，女 **boulevard, avenue**

ブルヴァル， アヴニュ

男 **coin**

クワン

男 **carrefour**

キャルフル

男 **passage clouté**

パサジュ クルテ

男 **feu (de signalisation)**

フゥ（ドゥ シニャリザスィヨン）

男 **pont**

ポン

男 **arrêt**

アレ

男 **piéton**

ピエトン

055

0541 □ 自転車 bike

◆ bicyclette 『女』 ビスィクレトゥ という表現もある。日常会話では vélo が使われることが多い。

0542 □ バイク motorcycle

0543 □ 車，自動車 car

◆ auto 『女』 オト という表現もある。automobile の略。

0544 □ トラック truck

0545 □ タクシー taxi

0546 □ バス bus

◆「長距離バス」は autocar 『男』 オトキャル。

0547 □ 乗客 『男／女』 passenger

◆「列車の乗客」は voyageur／voyageuse 『男／女』 ヴワヤジュル／ヴワヤジュズ。

0548 □ 運転士，ドライバー 『男／女』 driver

◆「自動車の運転手」は chauffeur／chauffeuse 『男／女』 ショフル／ショフズ。

0549 □ 駐車場 parking

0550 □ ガソリンスタンド gas station

◆「ガソリン」は essence 『女』 エサンス。

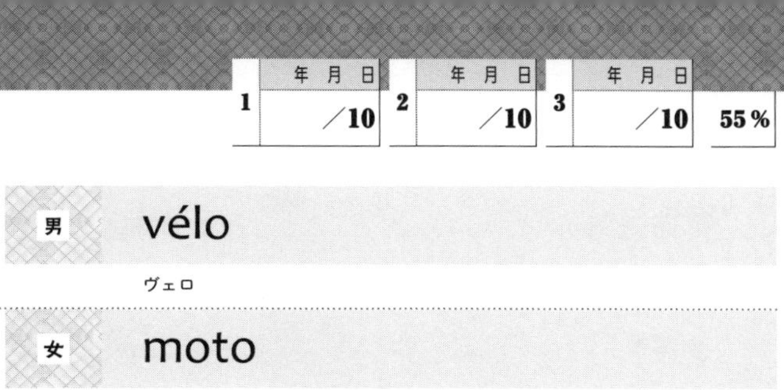

男 **vélo**

ヴェロ

女 **moto**

モト

女 **voiture**

ヴワテュル

男 **camion**

キャミヨン

男 **taxi**

タクスィ

男 **bus**

ビュス

男/女 **passager / passagère**

パサジェ ／ パサジェル

男/女 **conducteur / conductrice**

コンデュクトゥル ／ コンデュクトゥリス

男 **parking**

パルキング

女 **station-service**

スタスィヨン セルヴィス

056

0551 □	高速道路	expressway
0552 □	渋滞	traffic jam
0553 □	（運転）免許証	(driver's) license
0554 □	鉄道	railroad

◆「線路」は voie ferrée 『女』 ヴォワ フェレ。

0555 □	電車，列車	train
0556 □	急行列車	express (train)
0557 □	地下鉄	subway
0558 □	路面電車	tram
0559 □	駅	station
0560 □	駅（地下鉄）	subway station

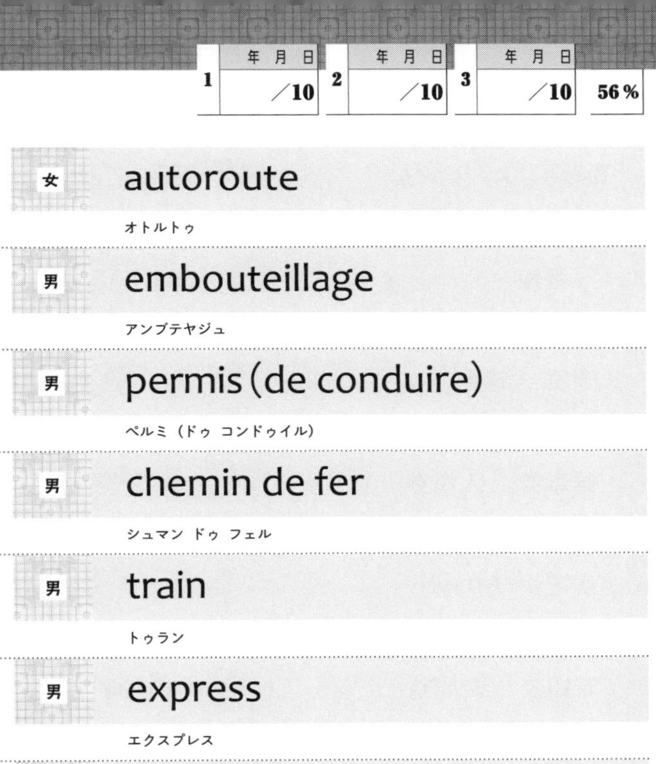

1	年　月　日 ／10	2	年　月　日 ／10	3	年　月　日 ／10	56％

女 **autoroute**
オトルトゥ

男 **embouteillage**
アンブテヤジュ

男 **permis (de conduire)**
ペルミ（ドゥ　コンドゥイル）

男 **chemin de fer**
シュマン　ドゥ　フェル

男 **train**
トゥラン

男 **express**
エクスプレス

男 **métro**
メトゥロ

男 **tramway**
トラムウェ

女 **gare**
ガル

女 **station**
スタスィヨン

057

0561 □ （プラット）ホーム　platform

0562 □ ～番線　track

◆「道路，車線」という意味でも使う。

0563 □ 運賃，料金　fare

0564 □ 乗車券，入場券　pass

◆ ticket より大きめの券を指すことが多い。「紙幣」という意味でも使う。

0565 □ 切符，チケット　ticket

◆「券売機」は distributeur automatique de titres 〖男〗 ディストリビュトゥル オトマティク ドゥ ティトル。

0566 □ 時刻表，時間割　time table

0567 □ 路線　route

◆「（図形の）線，列」という意味でも使う。

0568 □ 乗り換え　transfer

0569 □ 遅延，遅れ　delay

0570 □ 船　ship

◆「ボート，小舟」は canot 〖男〗 カノ。

1	年　月　日 /10	2	年　月　日 /10	3	年　月　日 /10	57%

男 **quai**
ケ

女 **voie**
ヴワ

男 **tarif**
タリフ

男 **billet**
ビエ

男 **ticket**
ティケ

男 **horaire**
オレル

女 **ligne**
リニュ

男 **changement**
ションジュモン

男 **retard**
ルタル

男 **bateau**
バト

0571 □ 港 port

0572 □ 飛行機 plane

◆「飛行便，フライト」は vol 〖男〗 ヴォル。

0573 □ パイロット pilot

0574 □ 客室乗務員 〖男／女〗 flight attendant

0575 □ 窓側の席 window seat

0576 □ 通路側の席 aisle seat

0577 □ シートベルト seat belt

0578 □ 離陸 take off

0579 □ 着陸 landing

0580 □ 出発 departure

1	年　月　日	2	年　月　日	3	年　月　日	
	／10		／10		／10	58％

男 **port**

ポル

男 **avion**

アヴィヨン

男女同形 **pilote**

ピロット

男/女 **steward ／ hôtesse de l'air**

スチュワルド ／ オテス ドゥ レル

男 **siège côté hublot**

シエジュ コテ ユブロ

男 **siège côté couloir**

シエジュ コテ クロワル

女 **ceinture de sécurité**

サンテュル ドゥ セキュリテ

男 **décollage**

デコラジュ

男 **atterrissage**

アテリサジュ

男 **départ**

デパル

059

0581 □ 到着 arrival

0582 □ 空港 airport

0583 □ 搭乗券 boarding pass

◆ embarquement 〚男〛 アンバルクマン は「搭乗」の意味。

0584 □ 手荷物 baggage

◆「機内持ち込み荷物」は bagage de cabine 〚男〛 バギャジュ ドゥ キャビヌ。

0585 □ 預け入れ荷物 checked baggage

◆ bagage en soute 〚男〛 バギャジュ オン スゥト という表現もある。

0586 □ 出入国審査 passport control

0587 □ 保安検査 security check

0588 □ 税関 customs

0589 □ 検疫 quarantine

0590 □ 外国 abroad

女 **arrivée**

アリヴェ

男 **aéroport**

アエロポル

女 **carte d'embarquement**

キャルトゥ ダンバルクマン

男 **bagage à main**

バギャジュ ア マン

男 **bagage enregistré**

バギャジュ アンレジストレ

男 **contrôle des passeports**

コントロル デ パスポル

男 **contrôle de sécurité**

コントロル ドゥ セキュリテ

女 **douane**

ドゥアンヌ

女 **quarantaine**

カランテヌ

男 **étranger**

エトゥランジェ

060

0591	外国人　〖男／女〗	a person from abroad
0592	パスポート	passport
0593	ビザ	visa
0594	大使館	embassy
0595	旅行	trip
0596	観光	sightseeing
0597	観光客	tourist
0598	（観光）名所	tourist attraction
0599	体験，　経験	experience
0600	計画	plan

男/女	étranger / étrangère	エトゥランジェ / エトゥランジェル
男	passeport	パスポル
男	visa	ヴィザ
女	ambassade	アンバサドゥ
男	voyage	ヴワヤジュ
男	tourisme	トゥリスム
男女同形	touriste	トゥリストゥ
男	site touristique	シトゥ トゥリスティク
女	expérience	エクスペリヤンス
男	plan	プラン

 061

0601 □ 観光案内所 | tourist information center

◆ bureau de tourisme 『男』 ビュロ ドゥ トゥリスム という表現もある。

0602 □ ガイド | guide

◆「ガイドブック」という意味でも使う（この場合は男性名詞）。

0603 □ （観光）ツアー | tour

0604 □ 列 | line

0605 □ お土産 | souvenir

◆「思い出」という意味でも使う。

0606 □ 中心街， 都心部 | downtown

◆ centre 『男』 サントゥル は「中心，中央」の意味。

0607 □ 市庁舎 | city hall

◆「区［市］役所，町［村］役場」という意味でも使う。

0608 □ 教会 | church

0609 □ 城 | castle

0610 □ 塔， タワー | tower

1	年　月　日 ／10	2	年　月　日 ／10	3	年　月　日 ／10	61 %

男 **office de tourisme**
オフィス ドゥ トゥリスム

男女同形 **guide**
ギドゥ

男 **circuit（touristique）**
シルキュイ（トゥリスティク）

女 **queue**
キュ

男 **souvenir**
スヴニル

男 **centre-ville**
サントゥルヴィル

女 **mairie**
メリ

女 **église**
エグリズ

男 **château**
シャト

女 **tour**
トゥル

062

0611 □	広場	square

◆「座席」という意味でも使う。

0612 □	公園	park
0613 □	街灯	street light
0614 □	噴水，泉	fountain
0615 □	ベンチ	bench
0616 □	記念碑，モニュメント	monument

◆「大建造物」という意味でも使う。

0617 □	建物，ビル	building
0618 □	ロビー	lobby
0619 □	エレベーター	elevator
0620 □	エスカレーター	escalator

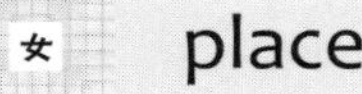

女 **place**
プラス

男 **parc**
パルク

男 **réverbère**
レヴェルベル

女 **fontaine**
フォンテヌ

男 **banc**
バン

男 **monument**
モニュモン

男 **bâtiment**
バティモン

男 **hall**
オル

男 **ascenseur**
アサンスゥル

男，男 **escalier roulant, escalier mécanique**
エスカリエ ルロン， エスカリエ メカニク

063

0621 □ ホテル hotel

0622 □ フロント front

0623 □ 予約 reservation

0624 □ キャンセル cancel

0625 □ チェックイン check in

◆英語からの借用語。

0626 □ シングルルーム single room

0627 □ ツインルーム twin room

◆「ダブルルーム」は chambre double 〖女〗 シャンブル ドゥブル。

0628 □ 入口 entrance

◆「入場，入学，玄関，前菜」など，入ること全般を指す。

0629 □ 出口 exit

0630 □ 非常口 《掲示》 Emergency Exit

男 **hôtel**

オテル

女 **réception**

レセプスィヨン

女 **réservation**

レゼルヴァスィヨン

女 **annulation**

アヌラスィヨン

男 **check-in**

チェックイン

女 **chambre simple**

シャンブル サンプル

女 **chambre twin**

シャンブル トゥウィン

女 **entrée**

アントゥレ

女 **sortie**

ソルティ

女, 女 **issue de secours, sortie de secours**

イシュ ドゥ スクール, ソルティ ドゥ スクール

064

0631 ☐ スポーツ　sports

0632 ☐ (スポーツ) 選手　〖男／女〗　player

0633 ☐ チーム　team

◆「メンバー」は membre〖男〗マンブル。

0634 ☐ コーチ，監督　〖男／女〗　coach

◆「インストラクター」は moniteur／monitrice〖男／女〗モニトゥル／モニトリス。

0635 ☐ スタジアム，競技場　stadium

0636 ☐ 選手権，大会　championship

0637 ☐ 試合　match

◆「予選」は éliminatoire〖女〗エリミナトワル。「決勝戦」は finale〖女〗フィナル。

0638 ☐ 勝利，勝ち　victory

0639 ☐ 敗北，負け　defeat

0640 ☐ 金，ゴールド　gold

1	年　月　日 ／10	2	年　月　日 ／10	3	年　月　日 ／10	64 %

男 **sport**

スポル

男/女 **joueur ／ joueuse**

ジュウル ／ ジュウズ

女 **équipe**

エキプ

男/女 **entraîneur ／ entraîneuse**

アントレヌゥル ／ アントレヌゥズ

男 **stade**

スタドゥ

男 **championnat**

シャンピオナ

男 **match**

マチ

女 **victoire**

ヴィクトワル

女 **défaite**

デフェット

男 **or**

オル

 065

0641 □ 銀，シルバー | silver

◆「お金」という意味でも使う。

0642 □ (青) 銅，ブロンズ | bronze

0643 □ トレーニング，練習 | training

0644 □ サッカー | soccer

◆「サッカー選手」は footballeur／footballeuse 『男／女』 フットボルル／フットボルズ。

0645 □ ラグビー | rugby

0646 □ バスケットボール | basketball

0647 □ テニス | tennis

0648 □ 柔道 | judo

0649 □ 水泳 | swimming

0650 □ プール | pool

1	年　月　日 ／10	2	年　月　日 ／10	3	年　月　日 ／10	65 %

男 **argent**

アルジャン

男 **bronze**

ブロンズ

男 **entraînement**

オントゥレヌモン

男 **football**

フトゥボル

男 **rugby**

ルュグビ

男 **basket-ball**

バスケットボール

男 **tennis**

テニス

男 **judo**

ジュド

女 **natation**

ナタスィヨン

女 **piscine**

ピスィヌ

066

0651 □ 体操 gymnastics

◆「新体操」は gymnastique rythmique 〘女〙 ジムナスティク リトミク。

0652 □ ダンス dance

◆「ダンサー」は danseur／danseuse 〘男／女〙 ダンスル／ダンスズ。

0653 □ ゴルフ golf

◆「ゴルファー」は golfeur／golfeuse 〘男／女〙 ゴルフル／ゴルフズ。

0654 □ 乗馬 horseback riding

0655 □ マラソン marathon

◆「マラソン選手」は marathonien／marathonienne 〘男／女〙 マラトニアン／マラトニエンヌ。

0656 □ 競歩 race walking

◆「歩行」という意味でも使う。

0657 □ サイクリング，自転車競技 cycling

◆「ツール・ド・フランス」は Le Tour de France 〘男〙 ル トゥル ドゥ フランス。

0658 □ ハイキング hiking

0659 □ 登山 mountaineering

0660 □ 釣り fishing

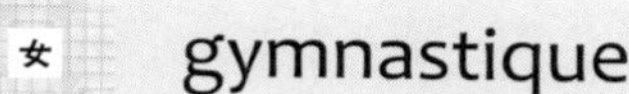

女 **gymnastique**

ジムナスティク

女 **danse**

ダンス

男 **golf**

ゴルフ

女 **équitation**

エキタスィヨン

男 **marathon**

マラトン

女 **marche（athlétique）**

マルシュ（アトゥレティク）

男 **cyclisme**

シクリスム

女 **randonnée**

ランドネ

男 **alpinisme**

アルピニスム

女 **pêche**

ペシュ

067

0661 □ 趣味 | hobby

0662 □ 娯楽，エンターテイメント | entertainment

◆「レクリエーション」は récréation 〘女〙 レクレアシオン。

0663 □ レジャー | leisure activities

◆ 単数形で「暇〈ひま〉」の意味。

0664 □ 余暇，自由時間 | free time

0665 □ 休暇，バカンス | vacation

◆「休み」は congé 〘男〙 コンジェ。

0666 □ 祭典，フェスティバル | festival

0667 □ パーティー | party

◆「(宗教上の) 祭り，祭日」という意味でも使う。

0668 □ お祝い | celebration

0669 □ 招待 | invitation

0670 □ 招待客 〘男／女〙 | guest

男，男 **hobby，passe-temps**

オビ， パストン

男 **divertissement**

ディヴェルティスモン

男複 **loisirs**

ルワズィル

男 **temps libre**

トン リブル

女複 **vacances**

ヴァカンス

男 **festival**

フェスティバル

女 **fête**

フェトゥ

女 **célébration**

セレブラスィヨン

女 **invitation**

アンヴィタスィヨン

男/女 **invité ／ invitée**

アンヴィテ ／ アンヴィテ

0671 □ カード card

◆「メニュー，トランプ，地図」という意味でも使う。

0672 □ プレゼント present

◆「クリスマスプレゼント」は cadeau de Noël 〖男〗 キャド ドゥ ノエル。

0673 □ 花束 bouquet

0674 □ バラ rose

◆「ピンク色」という意味でも使う（この場合は男性名詞）。

0675 □ アイリス iris

0676 □ ユリ lily

0677 □ シャベル shovel

0678 □ 釘 nail

0679 □ ハンマー hammer

0680 □ のこぎり saw

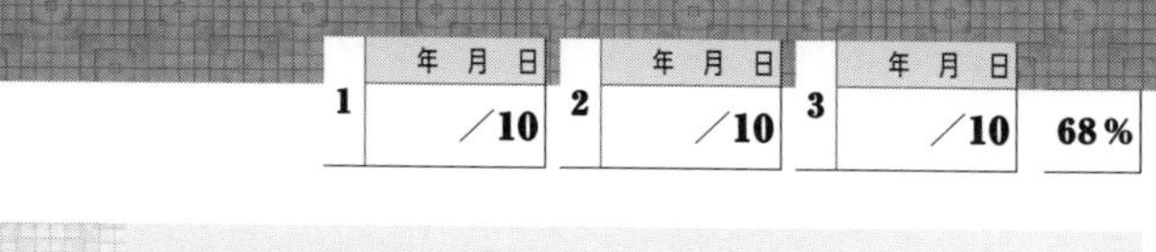
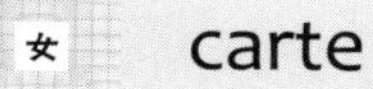

1	年 月 日 ／10	2	年 月 日 ／10	3	年 月 日 ／10	68％

女 **carte**

キャルトゥ

男 **cadeau**

キャド

男 **bouquet**

ブケ

女 **rose**

ロズ

男 **iris**

イリス

男 **lys**

リス

女 **pelle**

ペル

男 **clou**

クル

男 **marteau**

マルト

女 **scie**

シ

069

0681 □ 映画 — movie

0682 □ 映画館 — movie theater

0683 □ 演劇，劇場 — theater

0684 □ ミュージカル — musical

0685 □ コンサート — concert

0686 □ 俳優 〖男／女〗 — actor

0687 □ 演技，演奏 — performance

◆「遊び，ゲーム，競技」という意味でも使う。

0688 □ 舞台 — stage

◆「場面，光景」という意味でも使う。

0689 □ 演出 — staging

◆「公演」は spectacle 〖男〗 スペクタクル。

0690 □ クローク — cloakroom

1 年 月 日 ／10 2 年 月 日 ／10 3 年 月 日 ／10 69％

男 **film**

フィルム

男 **cinéma**

スィネマ

男 **théâtre**

テアトル

女 **comédie musicale**

コメディ ミュジカル

男 **concert**

コンセル

男/女 **acteur ／ actrice**

アクトゥル ／ アクトゥリス

男 **jeu**

ジュ

女 **scène**

セヌ

女 **mise en scène**

ミズ アン セヌ

男 **vestiaire**

ヴェスティエル

070

0691 □ 音楽 music

◆「音」は bruit〖男〗ブリュイ。

0692 □ 音楽家 〖男／女〗 musician

0693 □ 歌 song

◆「歌詞」は paroles〖女複〗パロル。

0694 □ 歌手 〖男／女〗 singer

0695 □ 指揮者 conductor

0696 □ オーケストラ orchestra

0697 □ 楽器 (musical) instrument

0698 □ ピアノ piano

◆「ピアニスト」は pianiste〖男女同形〗ピアニストゥ。

0699 □ バイオリン violin

0700 □ ギター guitar

1	年　月　日	2	年　月　日	3	年　月　日	
	／10		／10		／10	70％

女 **musique**
ミュズィク

男/女 **musicien ／ musicienne**
ミュズィスィヤン ／ ミュズィスィエヌ

女 **chanson**
シャンソン

男/女 **chanteur ／ chanteuse**
シャントゥル ／ シャントゥズ

男女同形 **chef d'orchestre**
シェフ ドルケストル

男 **orchestre**
オルケストル

男 **instrument (de musique)**
アンストゥリュモン（ドゥ ミュズィク）

男 **piano**
ピヤノ

男 **violon**
ヴィヨロン

女 **guitare**
ギタル

071

0701 □	芸術	art

◆「芸術家」は artiste 『男女同形』 アルティストゥ。

0702 □	文化	culture
0703 □	博物館， 美術館	museum
0704 □	展覧会	exhibition
0705 □	作品	work
0706 □	テーマ， 主題	theme
0707 □	コレクション， 収集	collection
0708 □	絵， 絵画	painting

◆「額装された絵画」は tableau 『男』 タブロ。

0709 □	画家	painter
0710 □	彫刻	sculpture

	年　月　日		年　月　日		年　月　日	
1	／10	2	／10	3	／10	71％

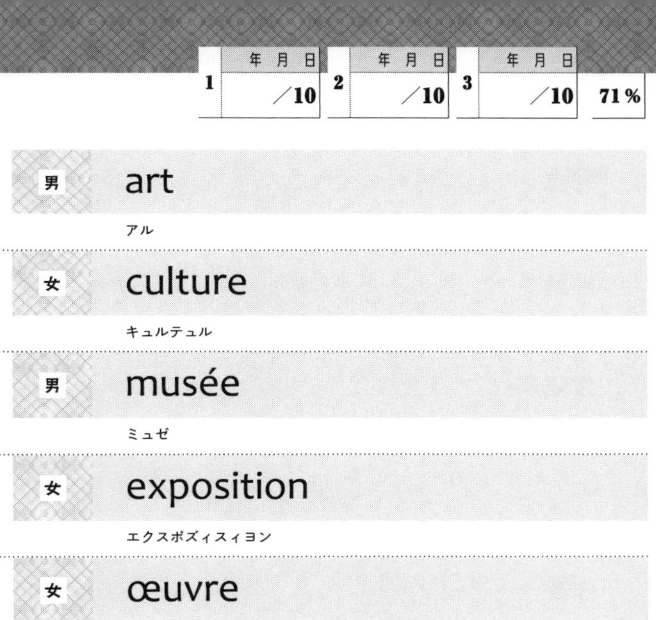

男　**art**

アル

女　**culture**

キュルテュル

男　**musée**

ミュゼ

女　**exposition**

エクスポズィスィヨン

女　**œuvre**

ウヴル

男，男　**thème, sujet**

テム，　スュジェ

女　**collection**

コレクスィヨン

女　**peinture**

パンテュル

男女同形　**peintre**

パントゥル

女　**sculpture**

スキュルテュル

072

0711 写真 photograph

◆「カメラ」は appareil (de) photo 『男』 アパレイユ ドゥ フォト。

0712 建築 architecture

◆「建設，建造物」は construction 『女』 コンストゥリュクスィヨン。

0713 建築家 architect

◆「大工」は charpentier 『男』 シャルパンティエ。女性には charpentière を使うこともある。

0714 本 book

◆「読書」は lecture 『女』 レクテュル。「書店」は librairie 『女』 リブレリ。

0715 作家 writer

◆「著者，作者」は auteur／auteure 『男／女』 オトゥル／オトゥル。

0716 (長編) 小説 novel

◆「短編小説，おとぎ話」は conte 『男』 コント。

0717 漫画，バンド・デシネ comic

◆「(日本の) マンガ」は manga 『男』 マンガ。

0718 雑誌 magazine

◆「(専門的な内容の) 雑誌」は revue 『女』 ルヴュ。

0719 新聞 newspaper

◆「新聞，報道関連の出版物」は presse 『女』 プレス。

0720 記事 article

◆「品物，商品」という意味でも使う。

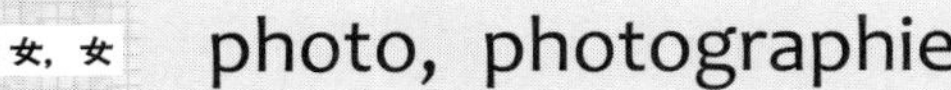

女, 女 **photo, photographie**

フォト, フォトグラフィ

女 **architecture**

アルキテクテュル

男女同形 **architecte**

アルキテクト

男 **livre**

リヴル

男 **écrivain**

エクリヴァン

男 **roman**

ロマン

女 **bande dessinée**

バンド デシネ

男 **magazine**

マガズィヌ

男 **journal**

ジュルナル

男 **article**

アルティクル

073

0721 □ 記者，ジャーナリスト journalist

0722 □ 情報 information

0723 □ 事実 fact

◆ 語尾の t を発音することもある。「真実」は vérité〚女〛ヴェリテ。

0724 □ 秘密，機密 secret

0725 □ ニュース，報道 news

◆ 単数形で「通知」の意味。

0726 □ (マス) メディア (mass) media

0727 □ テレビ television

0728 □ ラジオ radio

0729 □ 番組 program

◆「番組表，プログラム」は programme〚男〛プログラム。

0730 □ 広告 advertisement

男女同形 **journaliste**

ジュルナリストゥ

男，女 **renseignement, information**

ランセニュマン， アンフォルマスィヨン

男 **fait**

フェ ／ フェトゥ

男 **secret**

スクレ

女複 **nouvelles**

ヌゥヴェル

男複 **médias**

メディア

女 **télévision**

テレヴィズィオン

女 **radio**

ラディオ

女 **émission**

エミスィヨン

女 **publicité**

ピュブリシテ

0731 □ 電話 phone

0732 □ スマートフォン smartphone

0733 □ (デスクトップ) パソコン desktop (computer)

0734 □ ノートパソコン laptop (computer)

0735 □ インターネット Internet

◆語尾の t を発音することもある。「ネットワーク，網」は réseau『男』レゾ。

0736 □ メール e-mail

0737 □ 接続 connection

0738 □ パスワード password

0739 □ ファイル file

0740 □ データ data

1 年 月 日 ／10　2 年 月 日 ／10　3 年 月 日 ／10　74％

男 **téléphone**

テレフォヌ

男, 男 **smartphone, mobile**

スマルトゥフォヌ, モビル

男 **ordinateur (de bureau)**

オルディナトゥル（ドゥ ビュロ）

男 **ordinateur portable**

オルディナトゥル ポルタブル

男 **Internet**

アンテルネ ／ アンテルネトゥ

男 **e-mail**

イメル

女 **connexion**

コネクシオン

男 **mot de passe**

モ ドゥ パス

男 **fichier**

フィシエ

女複 **données**

ドネ

075

0741 □ 学校 school

◆「入学許可」は admission 〖女〗 アドミスィヨン。

0742 □ 幼稚園 kindergarten

0743 □ 小学校 elementary school

0744 □ 中学校 middle school

0745 □ 高校，リセ high school

◆「高校生，リセの生徒」は lycéen／lycéenne 〖男／女〗 リセアン／リセエヌ。

0746 □ （総合）大学 university

◆「大学生，学生」は étudiant／étudiante 〖男／女〗 エテュディアン／エテュディアントゥ。

0747 □ クラス，教室 class

◆「授業」という意味でも使う。

0748 □ 教育，教養 education

◆「教育，教育法」は enseignement 〖男〗 アンセニュマン。

0749 □ 知識 knowledge

0750 □ 勉強 study

◆「研究論文」という意味でも使う。

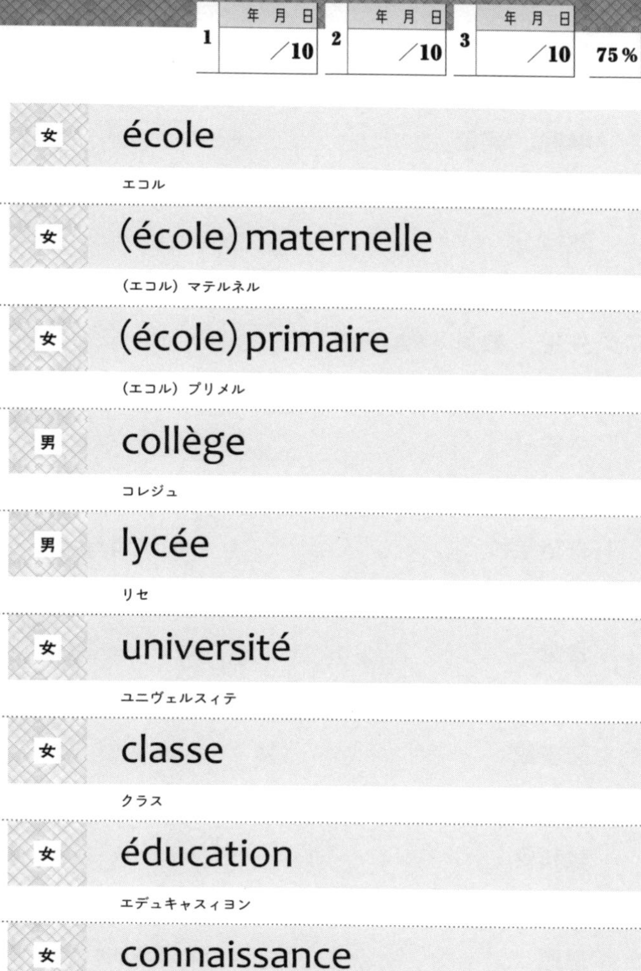

1	年　月　日 ／10	2	年　月　日 ／10	3	年　月　日 ／10	75％

女 **école**
エコル

女 **(école) maternelle**
(エコル) マテルネル

女 **(école) primaire**
(エコル) プリメル

男 **collège**
コレジュ

男 **lycée**
リセ

女 **université**
ユニヴェルスィテ

女 **classe**
クラス

女 **éducation**
エデュキャスィヨン

女 **connaissance**
コネサンス

女 **étude**
エテュドゥ

076

0751 □ 学習，実習 learning

0752 □ 教授 professor

◆女性には professeure を使うこともある。

0753 □ 先生，教員 〖男／女〗 teacher

0754 □ 生徒 student

0755 □ 寄宿学校 boarding school

0756 □ 食堂 cafeteria

0757 □ 図書館 library

◆「本棚」という意味でも使う。

0758 □ 教科書 textbook

0759 □ 宿題 homework

◆「義務」という意味でも使う。

0760 □ レポート report

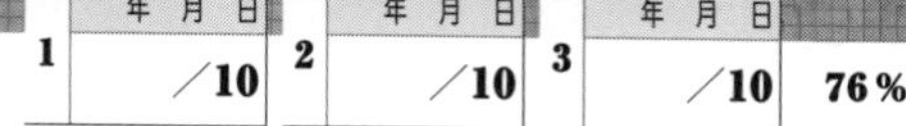

男 **apprentissage**

アプランティサジュ

男 **professeur**

プロフェスゥル

男/女 **enseignant／enseignante**

アンセニャン ／ アンセニャントゥ

男女同形 **élève**

エレヴ

男 **internat**

アンテルナ

女 **cantine**

カンティヌ

女 **bibliothèque**

ビブリヨテク

男 **manuel（scolaire）**

マニュエル（スコレル）

男 **devoir**

ドゥヴォワル

男 **rapport**

ラポル

077

0761 □ （大学の）学部 faculty

0762 □ 専攻 major

◆「専門知識，専門職」という意味でも使う。

0763 □ 授業 lesson

◆「レッスン」は leçon 〖女〗 ルソン。

0764 □ カンファレンス，講演 conference

0765 □ ゼミ，演習 seminar

0766 □ 出席，存在 attendance

0767 □ 欠席，不在 absence

0768 □ テスト，試験 exam

0769 □ 授業料 tuition

0770 □ 奨学金 scholarship

女 **faculté**

ファキュルテ

女 **spécialité**

スペシャリテ

男 **cours**

クゥル

女 **conférence**

コンフェランス

男 **séminaire**

セミネル

女 **présence**

プレザンス

女 **absence**

アブサンス

男, 女 **examen, épreuve**

エグザマン, エプルヴ

男複 **frais de scolarité**

フレ ドゥ スコラリテ

女 **bourse (d'études)**

ブルス（デチュドゥ）

078

0771 □ 論文 thesis

◆「小論文」は dissertation〖女〗ディセルタスィヨン。

0772 □ 研究 research

0773 □ 結果 result

0774 □ 発見 discover

0775 □ 説明，解釈 explanation

0776 □ 質問，疑問 question

0777 □ なぜ，どうして why

◆「いつ」は quand〖副〗カン。「どこに，どこで」は où〖副〗ウ。

0778 □ 練習（問題） exercise

◆「運動」という意味でも使う。

0779 □ 答え answer

0780 □ 誤り，間違い mistake

◆「ミス，落ち度」は faute〖女〗フォトゥ。

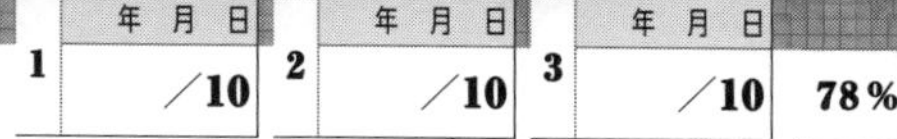

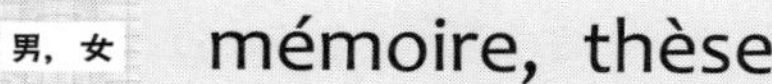

1 年 月 日 ／10　2 年 月 日 ／10　3 年 月 日 ／10　78％

男，女 **mémoire, thèse**

メムワル，　テズ

女複 **recherches**

ルシェルシュ

男 **résultat**

レズュルタ

女 **découverte**

デクヴェルト

女 **explication**

エクスプリカスィヨン

女 **question**

ケスティヨン

副 **pourquoi**

プルクワ

男 **exercice**

エグゼルスィス

女 **réponse**

レポンス

女 **erreur**

エルル

079

0781 □ 化学 chemistry

◆「科学」は science〖女〗スィヤンス。

0782 □ 物理学 physics

◆「肉体，容姿」という意味でも使う（この場合は男性名詞）。

0783 □ 数学 math

0784 □ 法学，法律学 law

◆「権利」という意味でも使う。

0785 □ 哲学 philosophy

0786 □ 文学，文献 literature

0787 □ 歴史 history

◆「物語，出来事」という意味でも使う。

0788 □ 古代 ancient age

0789 □ 中世 medieval age

0790 □ 近代 modern age

◆「現代」は époque contemporaine〖女〗エポク コンタンポレヌ。

1	年 月 日 ／10	2	年 月 日 ／10	3	年 月 日 ／10	79%

女 **chimie**

シミ

女 **physique**

フィズィク

女複 **mathématiques**

マテマティク

男 **droit**

ドロワ

女 **philosophie**

フィロゾフィ

女 **littérature**

リテラテュル

女 **histoire**

イストゥワル

女 **Antiquité**

アンティキテ

男 **Moyen Âge**

モワイヤン アジュ

女 **époque moderne**

エポク モデルヌ

0791 □ 言語，言葉 — language

0792 □ 文字 — character

◆「性格，特徴」という意味でも使う。

0793 □ フランス語 — French

0794 □ 日本語 — Japanese

0795 □ 英語 — English

0796 □ 翻訳 — translation

◆「通訳」は interprétation 〚女〛 アンテルプレタスィヨン。

0797 □ 辞書 — dictionary

0798 □ 意味 — meaning

0799 □ 単語 — word

◆「言葉」という意味でも使う。

0800 □ 文 — sentence

◆「文章」は texte 〚男〛 テクストゥ。

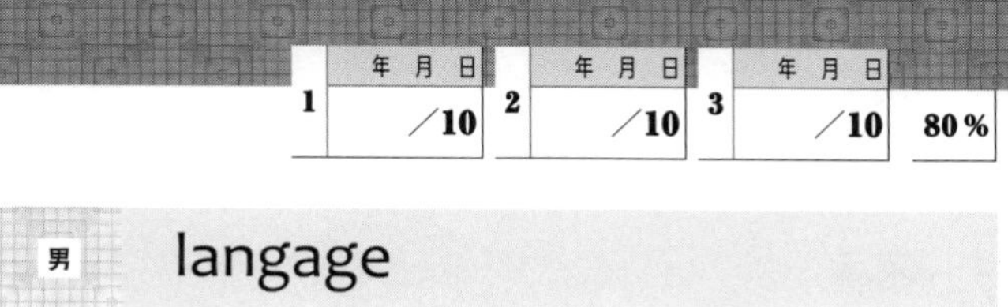

男 **langage**

ランガージュ

男 **caractère**

キャラクテル

男 **français**

フランセ

男 **japonais**

ジャポネ

男 **anglais**

アングレ

女 **traduction**

トラデュクスィヨン

男 **dictionnaire**

ディクショネル

女 **signification**

シニフィカスィヨン

男 **mot**

モ

女 **phrase**

フラズ

081

0801 □ 文法 grammar

0802 □ 発音 pronunciation

0803 □ アクセント accent

0804 □ 方言 dialect

0805 □ 例 example

0806 □ 紙 paper

◆「書類」という意味でも使う。

0807 □ メモ memo

◆「請求書，成績」という意味でも使う。

0808 □ ノート notebook

0809 □ ペン，ボールペン pen

0810 □ インク ink

1	年　月　日	2	年　月　日	3	年　月　日	
	／10		／10		／10	81％

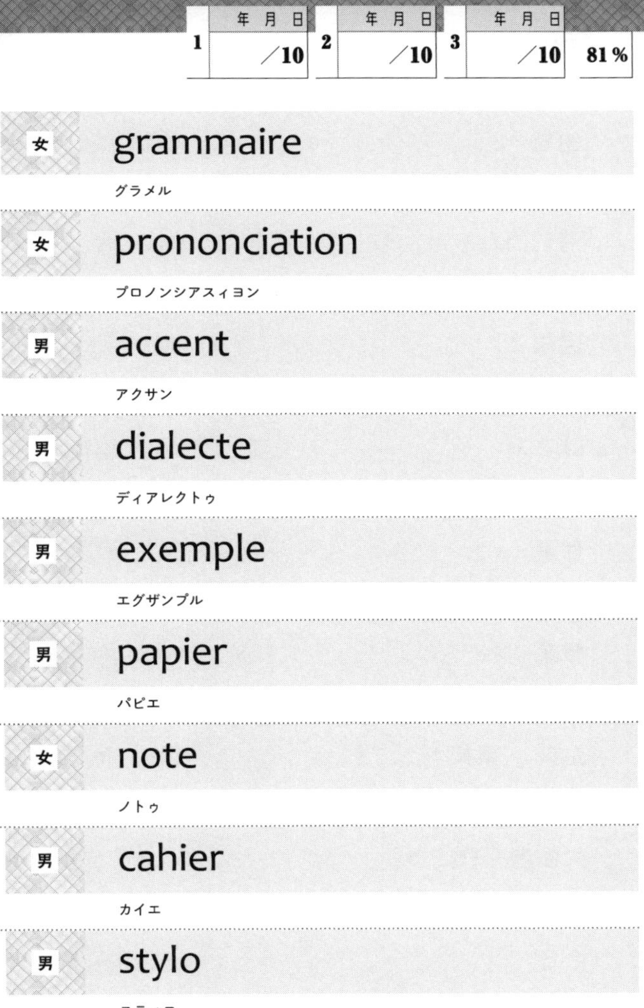

女 grammaire

グラメル

女 prononciation

プロノンシアスィヨン

男 accent

アクサン

男 dialecte

ディアレクトゥ

男 exemple

エグザンプル

男 papier

パピエ

女 note

ノトゥ

男 cahier

カイエ

男 stylo

スティロ

女 encre

アンクル

082

0811 □ 鉛筆 pencil

◆「シャープペンシル」は portemine『男』ポルトミン。

0812 □ 消しゴム eraser

◆「ゴム」という意味でも使う。

0813 □ 定規 ruler

◆「規則，ルール」という意味でも使う。

0814 □ はさみ scissor [scissors]

0815 □ 仕事 job

◆ travaux『男複』トラヴォ は「作業，工事」の意味。

0816 □ 職業 profession

◆「職」は emploi『男』アンプルワ。

0817 □ 企業，事業 enterprise

0818 □ 労働者 『男／女』 laborer

◆「アルバイト，臨時の仕事」は job『男』ジョブ。

0819 □ 会社 company

◆「劇団」という意味でも使う。

0820 □ 従業員，社員 『男／女』 employee

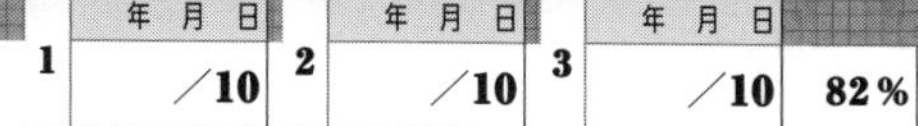

男 **crayon**

クレイヨン

女 **gomme**

ゴム

女 **règle**

レグル

男複 **ciseaux**

スィゾ

男 **travail**

トゥラヴァイユ

女 **profession**

プロフェスィヨン

女 **entreprise**

アントゥルプリズ

男/女 **travailleur ／ travailleuse**

トラヴァイユル ／ トラヴァイユズ

女 **compagnie**

コンパニ

男/女 **employé ／ employée**

アンプルワイエ ／ アンプルワイエ

083

0821 □	公務員	government worker
0822 □	上司 〖男／女〗	superior
0823 □	同僚	colleague
0824 □	秘書	secretary
0825 □	アシスタント 〖男／女〗	assistant
0826 □	（ビジネス）パートナー	(business) partner
0827 □	本部， 本社	headquarters
0828 □	支部， 支店	branch

◆「椅子，座席」という意味でも使う。

0829 □	昇進	promotion
0830 □	辞職	resignation

◆「引退，退職」は retraite〖女〗ルトゥレトゥ。

1 年 月 日 ／10 2 年 月 日 ／10 3 年 月 日 ／10 83％

男女同形 **fonctionnaire**

フォンクスィヨネル

男/女 **supérieur ／ supérieure**

スュペリユゥル ／ スュペリユゥル

男女同形 **collègue**

コレグ

男女同形 **secrétaire**

スクレテル

男/女 **assistant ／ assistante**

アシストン ／ アシストントゥ

男女同形 **partenaire (commercial)**

パルトゥネル（コメルシアル）

男 **siège**

シエジュ

女 **succursale**

スュキュルサル

男，女 **avancement, promotion**

アヴォンスモン， プロモスィヨン

女 **démission**

デミスィヨン

084

0831 □ 給料 salary

0832 □ ボーナス bonus

0833 □ 支払い payment

0834 □ 出張 business trip

0835 □ 会議，会合 meeting

0836 □ 問題 problem

◆「解決，解答」は solution 〚女〛 ソリュスィヨン。

0837 □ 理由，原因 reason

0838 □ 意見，見解 opinion

0839 □ 批評，批判 criticism

0840 □ 決定，決心 decision

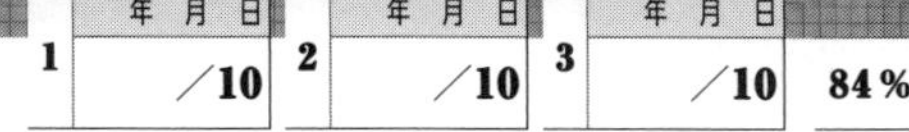

1	年 月 日 ／10	2	年 月 日 ／10	3	年 月 日 ／10	84％

男 **salaire**

サレル

男，女 **bonus, prime**

ボニュス， プリム

男 **paiement**

ペマン

男 **voyage d’affaires**

ヴワヤジュ ダフェール

女 **réunion**

レユニヨン

男 **problème**

プロブレム

女，女 **raison, cause**

レゾン， コズ

男，女 **avis, opinion**

アヴィ， オピニヨン

女 **critique**

クリティク

女 **décision**

デスィズィヨン

085

0841 ☐ 書類，文書 document

0842 ☐ 確認 confirmation

0843 ☐ 交渉 negotiation

◆「接触，連絡」は contact 〚男〛 コンタクトゥ。

0844 ☐ 合意 agreement

0845 ☐ 契約，契約書 contract

0846 ☐ 署名，サイン signature

0847 ☐ 利益 profit

0848 ☐ 投資 investment

◆「（金融商品への）投資，運用」は placement 〚男〛 プラスマン。

0849 ☐ 利子，利息 interest

◆「興味，関心」という意味でも使う。「パーセント」は pourcent 〚男〛 プルサン。

0850 ☐ 経済 economy

◆「経済学」という意味でも使う。

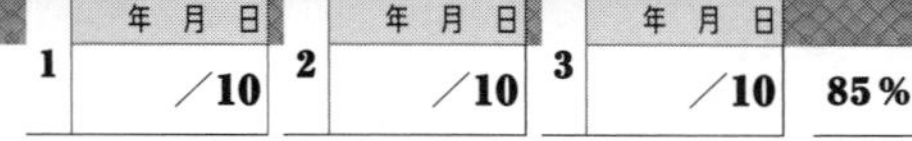

男	document	ドキュマン
女	confirmation	コンフィルマスィヨン
女	négociation	ネゴシアスィヨン
男, 女	accord, entente	アコル, オントントゥ
男	contrat	コントラ
女	signature	シニャテュル
男, 男	bénéfice, profit	ベネフィス, プロフィ
男	investissement	アンヴェスティスマン
男	intérêt	アンテレ
女	économie	エコノミ

086

0851 □ 輸入 import

0852 □ 輸出 export

0853 □ 取引 transaction

0854 □ 工業， 産業 industry

0855 □ 石炭 coal

◆「木炭」という意味でも使う。

0856 □ 石油 petroleum

0857 □ 天然ガス natural gas

0858 □ 鉄 iron

0859 □ 鋼， スチール steel

0860 □ プラスチック plastic

1	年 月 日	2	年 月 日	3	年 月 日	
	／10		／10		／10	86％

女 **importation**
アンポルタスィヨン

女 **exportation**
エクスポルタスィヨン

女 **transaction**
トランザクスィヨン

女 **industrie**
アンデュストゥリ

男 **charbon**
シャルボン

男 **pétrole**
ペトゥロル

男 **gaz naturel**
ガズ ナテュレル

男 **fer**
フェル

男 **acier**
アスィエ

男 **plastique**
プラスティック

087

0861 □ 工場 plant

0862 □ 生産物，製品 product

◆「商品」は marchandise〖女〗マルシャンディズ。

0863 □ サンプル，見本 sample

0864 □ 質，品質 quality

0865 □ 量，数量 quantity

0866 □ 農家〖男／女〗 farmer

◆「農業」は agriculture〖女〗アグリキュルチュル。

0867 □ 漁師，釣り人〖男／女〗 fisherman

0868 □ エンジニア engineer

◆女性には ingénieure を使うこともある。

0869 □ 伝統，慣習 tradition

0870 □ 名人 master

◆「専門家」は expert〖男〗エクスペル。

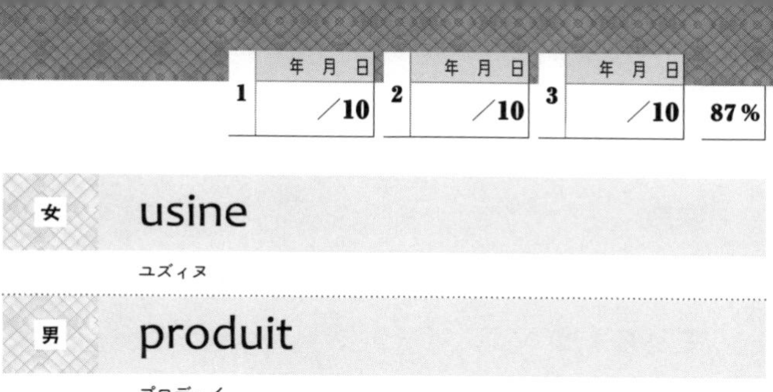

1	年　月　日 ／10	2	年　月　日 ／10	3	年　月　日 ／10	87 %

女 **usine**

ユズィヌ

男 **produit**

プロデュイ

男 **échantillon**

エシャンティヨン

女 **qualité**

キャリテ

女 **quantité**

カンティテ

男/女 **agriculteur / agricultrice**

アグリキュルトゥル ／ アグリキュルトゥリス

男/女 **pêcheur / pêcheuse**

ペシュル ／ ペシュズ

男 **ingénieur**

アンジェニュル

女 **tradition**

トラディスィヨン

男 **maître**

メトゥル

088

0871 □ 宗教 religion

0872 □ キリスト教 Christianity

◆「ユダヤ教」は judaïsme『男』ジュダイスム。

0873 □ イスラム教 Islam

0874 □ 仏教 Buddhism

0875 □ 聖書 Bible

◆「(一般的な)聖典，権威ある書」として使う場合は定冠詞不要，頭文字は小文字。

0876 □ 聖職者，司祭 priest

0877 □ 神／女神 God／Goddess

0878 □ 世界 world

◆「社会，人々」という意味でも使う。

0879 □ 国，国家 country

◆「地方」という意味でも使う。

0880 □ 人々 people

1	年 月 日 ／10	2	年 月 日 ／10	3	年 月 日 ／10	88％

女 **religion**
ルリジヨン

男 **christianisme**
クリスティアニスム

男 **islam**
イスラム

男 **bouddhisme**
ブディスム

女 **la Bible**
ラ ビブル

男 **prêtre**
プレトゥル

男/女 **dieu ／ déesse**
デュ ／ デエス

男 **monde**
モンドゥ

男 **pays**
ペイ

男複 **gens**
ジャン

089

0881 □ 国民 nation

◆「国，国家」という意味でも使う。「民族，民衆」は peuple『男』ププル。

0882 □ 国籍 nationality

0883 □ 住民，住人 『男／女』 inhabitant

0884 □ 人口 population

0885 □ 首都 capital

◆「（首都に対して）地方」は province『女』プロヴァンス。

0886 □ 都市，都会 city

◆「都市，住宅地区（やや改まった表現）」は cité『女』スィテ。

0887 □ 村 village

◆「田舎，農村」は campagne『女』カンパニュ。

0888 □ 国境 border

0889 □ 領土 territory

0890 □ 母国，祖国 homeland

女 **nation**

ナスィヨン

女 **nationalité**

ナスィヨナリテ

男/女 **habitant ／ habitante**

アビタン ／ アビタントゥ

女 **population**

ポピュラスィヨン

女 **capitale**

キャピタル

女 **ville**

ヴィル

男 **village**

ヴィラジュ

女 **frontière**

フロンティエル

男 **territoire**

テリトワル

女 **patrie**

パトリ

090

0891 □ 日本 Japan

◆「日本人」は Japonais／Japonaise 〖男／女〗 ジャポネ／ジャポネズ。

0892 □ フランス France

◆「フランス人」は Français／Française 〖男／女〗 フランセ／フランセズ。

0893 □ パリ Paris

0894 □ アメリカ合衆国 The U.S.

◆「アメリカ人」は Américain／Américaine 〖男／女〗 アメリカン／アメリケヌ。

0895 □ ヨーロッパ Europe

0896 □ 共和国 republic

0897 □ 政治，政策 politics

0898 □ 政府，政権 government

0899 □ 議会，国会 parliament

◆「(政府機関に限らない) 議会，会議」は assemblée 〖女〗 アサンブレ。

0900 □ 政党，党派 political party

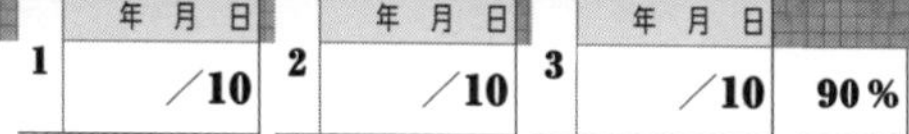
1	年 月 日 ／10	2	年 月 日 ／10	3	年 月 日 ／10	90%

男 **Japon**

ジャポン

女 **France**

フランス

(男) **Paris**

パリ

男複 **États-Unis**

エタジュニ

女 **Europe**

ウロプ

女 **république**

レピュブリク

女 **politique**

ポリティク

男 **gouvernement**

グヴェルヌマン

男 **parlement**

パルルマン

男 **parti (politique)**

パルティ（ポリティク）

0901 □ 社会 society

◆「団体，会社」という意味でも使う。

0902 □ 民主主義 democracy

0903 □ 社会主義 socialism

0904 □ 共産主義 communism

0905 □ 資本主義 capitalism

0906 □ 憲法 constitution

0907 □ 法，法律 law

0908 □ 選挙 election

0909 □ 投票 vote

0910 □ 候補者 〖男／女〗 candidate

1	年 月 日	2	年 月 日	3	年 月 日	
	／10		／10		／10	91 %

女 **société**

ソスィエテ

女 **démocratie**

デモクラシ

男 **socialisme**

ソシアリスム

男 **communisme**

コミュニスム

男 **capitalisme**

カピタリスム

女 **constitution**

コンスティテュスィヨン

女 **loi**

ルワ

女 **élection**

エレクスィヨン

男 **scrutin**

スクリュタン

男/女 **candidat / candidate**

カンディダ ／ カンディダトゥ

092

0911 □ 大統領，社長 〚男／女〛 president

0912 □ 首相，総理大臣 prime minister, premier

0913 □ 大臣 minister

0914 □ 議員 〚男／女〛 member of parliament

0915 □ 権力 authority

◆「当局」は autorité〚女〛オトリテ。

0916 □ 支配 control

0917 □ 革命 revolution

0918 □ 宣言，布告 proclamation

0919 □ 独立 independence

0920 □ 自由 freedom

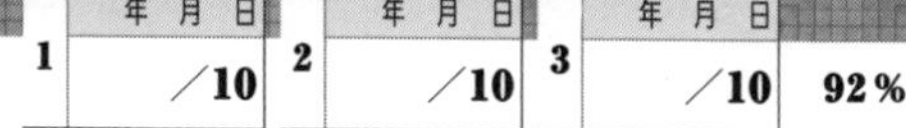

1 年 月 日 ／10 2 年 月 日 ／10 3 年 月 日 ／10 92％

男/女 président／présidente

プレズィダン ／ プレズィダントゥ

男女同形 premier ministre

プルミエ ミニストゥル

男女同形 ministre

ミニストゥル

男/女 député／députée

デピュテ ／ デピュテ

男 pouvoir

プヴワル

女 domination

ドミナスィヨン

女 révolution

レヴォリュスィヨン

女 proclamation

プロクラマスィヨン

女 indépendance

アンデパンダンス

女 liberté

リベルテ

093

0921 理想 ideal

0922 現実 reality

0923 希望 hope

0924 絶望 despair

0925 可能性，機会 possibility

◆「機会，チャンス」は occasion〚女〛オキャズィヨン。

0926 努力 effort

0927 忍耐，我慢 patience

0928 勇気 bravery

0929 成功，成果 success

◆「成功，合格」は réussite〚女〛レユスィトゥ。

0930 失敗，不成功 failure

1	年　月　日 ／10	2	年　月　日 ／10	3	年　月　日 ／10	93 %

男 **idéal**
イデアル

女 **réalité**
レアリテ

男 **espoir**
エスプワル

男 **désespoir**
デゼスプワル

女 **possibilité**
ポシビリテ

男 **effort**
エフォル

女 **patience**
パスィヤンス

男 **courage**
クラジュ

男 **succès**
スュクセ

男 **échec**
エシェック

094

0931 幸福，幸運 fortune

◆「幸運，機会」は chance〚女〛シャンス。

0932 不幸，不運 misfortune

0933 安全 safety

0934 危険 danger

◆「危険性，おそれ」は risque〚男〛リスク。

0935 災害 disaster

◆「大惨事，壊滅的な災害」は catastrophe〚女〛カタストロフ。

0936 洪水 flood

◆「ノアの大洪水」は Déluge (de Noé)〚男〛デリュジュ ドゥ ノエ。

0937 熱波，酷暑 heatwave

0938 地震 earthquake

◆「津波」は tsunami〚男〛ツナミ。

0939 火事，火災 fire

◆「火」は feu〚男〛フ。

0940 消防車 fire engine

1	年 月 日 ／10	2	年 月 日 ／10	3	年 月 日 ／10	94 %

男 **bonheur**
ボヌル

男 **malheur**
マルル

女 **sécurité**
セキュリテ

男 **danger**
ダンジェ

男 **désastre**
デザストゥル

女 **inondation**
イノンダスィヨン

女 **canicule**
キャニキュル

男 **tremblement de terre**
トランブルモン ドゥ テル

男 **incendie**
アンサンディ

男 **camion de pompiers**
カミヨン ドゥ ポンピエ

095

0941 事件 incident

◆「出来事，イベント」は événement 『男』 エヴェヌマン。

0942 事故 accident

0943 テロ terrorism

0944 爆発 explosion

0945 犯罪 crime

0946 犯罪者，犯人 『男／女』 criminal

◆「罪人」は coupable 『男女同形』 クパブル。

0947 泥棒 『男／女』 thief

◆「強盗」は bandit 『男』 バンディ。

0948 殺人 murder

0949 警察 police

0950 警察官 『男／女』 police officer

◆「警官，代理人」は agent／agente 『男／女』 アジャン／アジャントゥ。

男 **incident**

アンスィダン

男 **accident**

アクスィダン

男 **terrorisme**

テロリスム

女 **explosion**

エクスプロズィヨン

男 **crime**

クリム

男/女 **criminel ／ criminelle**

クリミネル ／ クリミネル

男/女 **voleur ／ voleuse**

ヴォルル ／ ヴォルズ

男 **meurtre**

ムュルトル

女 **police**

ポリス

男/女 **policier ／ policière**

ポリスィエ ／ ポリスィエル

096

0951 □ 裁判所，法廷 court

0952 □ 弁護士 『男／女』 lawyer

0953 □ 検察官 prosecutor

◆女性には procureure を使うこともある。

0954 □ 有罪 guilt

0955 □ 無罪 innocence

0956 □ 戦争 war

0957 □ 軍，軍隊 army

◆「軍事力，軍隊」は force(s) 『女(複)』 フォルス。

0958 □ 兵士，軍人 soldier

0959 □ 兵器，武器 weapon

0960 □ 死者 『男／女』 the dead

◆「死亡者，故人」は décédé／décédée 『男／女』 デセデ／デセデ。

1	年 月 日 ／10	2	年 月 日 ／10	3	年 月 日 ／10	96%

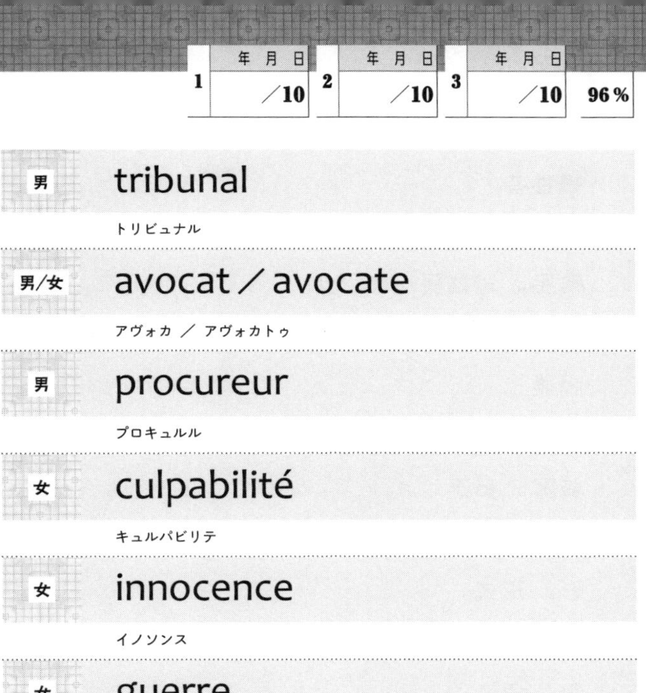

男 **tribunal**

トリビュナル

男/女 **avocat ／ avocate**

アヴォカ ／ アヴォカトゥ

男 **procureur**

プロキュルル

女 **culpabilité**

キュルパビリテ

女 **innocence**

イノソンス

女 **guerre**

ゲル

女 **armée**

アルメ

男 **soldat**

ソルダ

女 **arme**

アルム

男/女 **mort ／ morte**

モル ／ モルトゥ

097

0961 ☐ 犠牲者 victim

0962 ☐ 難民，避難民 〖男／女〗 refugee

0963 ☐ 困難 difficulty

0964 ☐ 貧困，貧乏 poverty

0965 ☐ 形，形式 form

0966 ☐ 角，角度 angle

0967 ☐ 円 《図形》 circle

◆「丸い」は rond／ronde 〖形〗 ロン／ロンドゥ。

0968 ☐ 三角形 triangle

0969 ☐ 正方形 square

◆「四角い」は carré／carrée 〖形〗 カレ／カレ。

0970 ☐ 長方形 rectangle

女 **victime**

ヴィクティム

男/女 **réfugié / réfugiée**

レフュジエ ／ レフュジエ

女 **difficulté**

ディフィキュルテ

女 **pauvreté**

ポヴルテ

女 **forme**

フォルム

男 **angle**

オングル

男 **cercle**

セルクル

男 **triangle**

トリアングル

男 **carré**

カレ

男 **rectangle**

レクタングル

098

0971 □ 計算 calculation

0972 □ 数，数量 number

◆「数字」は chiffre『男』シフル。数字の表現は p.208 ～ 209 を参照。

0973 □ 合計，総数 total

0974 □ 平均 average

0975 □ 2 分の 1 half

◆ demi／demie『形』ドゥミ／ドゥミ は「半分の，～半」の意味。

0976 □ 4 分の 1，15 分 quarter

0977 □ 差，違い difference

0978 □ 余り，残り remainder

0979 □ 身長，背の高さ height

◆「サイズ，大きさ」という意味でも使う。

0980 □ 体重，重さ weight

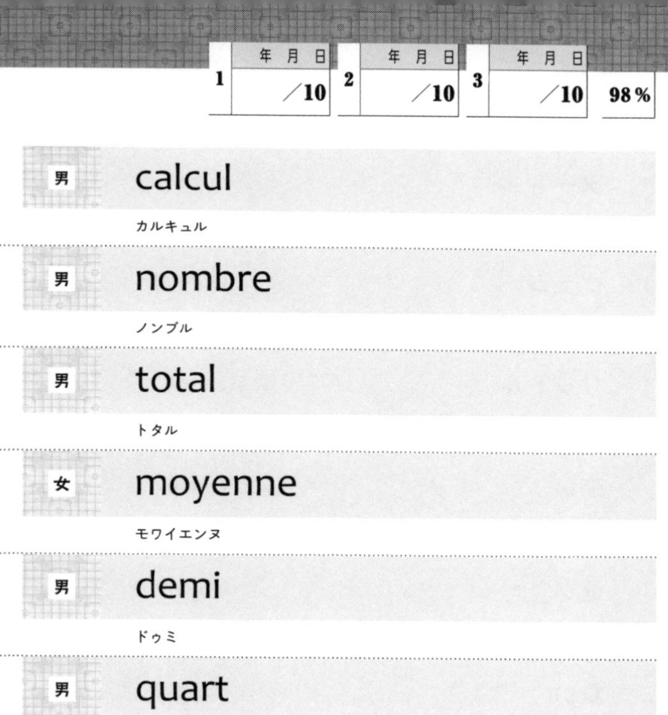

1	年　月　日 ／10	2	年　月　日 ／10	3	年　月　日 ／10	98 %

男	calcul	カルキュル
男	nombre	ノンブル
男	total	トタル
女	moyenne	モワイエンヌ
男	demi	ドゥミ
男	quart	キャル
女	différence	ディフェランス
男	reste	レストゥ
女	taille	タイユ
男	poids	プワ

099

0981 □ メートル meter

◆「センチメートル」は centimètre〖男〗サンティメトゥル。

0982 □ グラム gram

◆「キログラム」は kilogramme〖男〗キログラム。

0983 □ リットル liter

◆「ミリリットル」は millilitre〖男〗ミリリトゥル。

0984 □ 高い high

◆「(値段が) 高い」は cher／chère〖形〗シェル／シェル。

0985 □ 低い low

◆「安い」は pas cher／pas chère〖形〗パ シェル／パ シェル。

0986 □ 重い heavy

0987 □ 軽い light

0988 □ 大きい，多くの，背が高い big, large

◆「年上の」という意味でも使う。

0989 □ 小さい，少ない，小柄な small, little

◆「年下の」という意味でも使う。

0990 □ かわいい，愛らしい cute

◆「きれいな，素敵な」は joli／jolie〖形〗ジョリ／ジョリ。

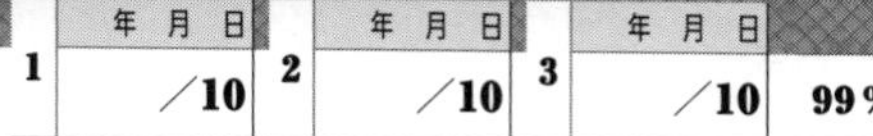

男 **mètre**

メトゥル

男 **gramme**

グラム

男 **litre**

リトゥル

形 **haut／haute**

オ ／ オトゥ

形 **bas／basse**

バ ／ バス

形 **lourd／lourde**

ルゥル ／ ルゥルドゥ

形 **léger／légère**

レジェ ／ レジェル

形 **grand／grande**

グラン ／ グランドゥ

形 **petit／petite**

プティ ／ プティトゥ

形 **mignon／mignonne**

ミニョン ／ ミニョンヌ

100

0991 □ 長い long

0992 □ 短い short

0993 □ （幅が）広い wide

0994 □ （幅が）狭い narrow

◆「（衣服などが）きつい」は serré／serrée 〖形〗 セレ／セレ。

0995 □ 良い，おいしい good

◆「とてもおいしい」は délicieux／délicieuse 〖形〗 デリスィウ／デリスィウズ。

0996 □ 悪い，まずい bad

0997 □ 甘い sweet

◆「（砂糖で）甘い」は sucré／sucrée 〖形〗 シュクレ／シュクレ。

0998 □ しょっぱい salty

0999 □ すっぱい sour

1000 □ 苦い，つらい bitter

1	年 月 日 ／10	2	年 月 日 ／10	3	年 月 日 ／10	100％

形 long / longue

ロン ／ ロング

形 court / courte

クゥル ／ クゥルトゥ

形 large

ラルジュ

形 étroit / étroite

エトゥルワ ／ エトゥルワトゥ

形 bon / bonne

ボン ／ ボヌ

形 mauvais / mauvaise

モヴェ ／ モヴェズ

形 doux / douce

ドゥ ／ ドゥス

形 salé / salée

サレ ／ サレ

形 acide

アシッド

形 amer / amère

アメル ／ アメル

101

●月と曜日，時の言い方●

1月	男	janvier	ジャンヴィエ
2月	男	février	フェヴリエ
3月	男	mars	マルス
4月	男	avril	アヴリル
5月	男	mai	メ
6月	男	juin	ジュアン
7月	男	juillet	ジュイエ
8月	男	août	ウトゥ
9月	男	septembre	セプタンブル
10月	男	octobre	オクトブル
11月	男	novembre	ノヴォンブル
12月	男	décembre	デサンブル

103

先月	le mois 男 dernier ル モワ デルニエ
来月 来年	le mois 男 prochain ル モワ プロシェン l'année 女 prochaine ラネ プロシェンヌ
毎日 毎月 毎年	tous les jours 男複 トゥ レ ジュル tous les mois 男複 トゥ レ モワ tous les ans 男複／chaque année 女 トゥ レザン ／ シャク アネ

102

月曜日 男	lundi	ランディ
火曜日 男	mardi	マルディ
水曜日 男	mercredi	メルクルディ
木曜日 男	jeudi	ジュディ
金曜日 男	vendredi	ヴァンドゥルディ
土曜日 男	samedi	サムディ
日曜日 男	dimanche	ディマンシュ

104

今週	cette semaine 女 セット スメン
先週	la semaine 女 dernière ラ スメン デルニエル
来週	la semaine 女 prochaine ラ スメン プロシェヌ
週末	week-end 男 ウィクエンド
今月 今年	ce mois 男／ce mois-ci ス モワ ／ ス モワスィ cette année 女 セッタネ
昨年	l'année 女 dernière ラネ デルニエル
昨晩	hier soir 男 イエル スワル
毎朝	tous les matins 男複 トゥ レ マタン

105

数字の言い方

0	zéro	ゼロ
1	un／une	男 アン ／ 女 ユヌ
2	deux	ドゥ
3	trois	トゥルワ
4	quatre	キャトゥル
5	cinq	サンク
6	six	スィス
7	sept	セットゥ
8	huit	ユイトゥ
9	neuf	ヌフ
10	dix	ディス
11	onze	オンズ
12	douze	ドゥズ
13	treize	トゥレズ
14	quatorze	キャトルズ
15	quinze	キャンズ
16	seize	セズ
17	dix-sept	ディセトゥ
18	dix-huit	ディズユイトゥ
19	dix-neuf	ディズヌフ
20	vingt	ヴァン
21	vingt et un／vingt et une	男ヴァンテアン／女ヴァンテユヌ

30	trente	トゥラントゥ
40	quarante	キャラントゥ
50	cinquante	サンカントゥ
60	soixante	スワサントゥ
70	soixante-dix	スワサントゥディス
80	quatre-vingts	キャトゥルヴァン
90	quatre-vingt-dix	キャトゥルヴァンディス
100	cent	サン
200	deux cents	ドゥサン
300	trois cents	トゥルワサン
400	quatre cents	キャトルサン
500	cinq cents	サンクサン
600	six cents	スィサン
700	sept cents	セットサン
800	huit cents	ユイサン
900	neuf cents	ヌフサン
1000	mille	ミル
1万	dix mille	ディミル
10万	cent mille	サンミル
100万	un million	アンミリヨン
1000万	dix millions	ディミリヨン
1億	cent millions	サンミリヨン
10億	un milliard	アンミリアル

●冠詞●

	男性単数	女性単数	複数
不定冠詞	un	une	des
定冠詞	le（l'）	la（l'）	les
部分冠詞	du （de l'）	de la （de l'）	

不定冠詞　**不特定の名詞，初めて登場する名詞の前に付く。**

男性形：un homme「ある男性」
des hommes「ある男たち」

女性形：une femme「ある女性」
des femmes「ある女たち」

定冠詞　**特定の名詞，既に話題に登場した名詞の前に付く。**

男性形：le chat「その猫」　les chats「その猫たち」
l'œuf「その卵」　les œufs「その（いくつかの）卵」

女性形：la fleur「その花」　les fleurs「その花々」
l'orange「そのオレンジ」
les orange「その（いくつかの）オレンジ」

部分冠詞　**不特定の不可算名詞（数えられないもの，概念的なもの）の前に付く。**

男性形：du café「コーヒー」，　de l'arbre「木」
女性形：de la soupe「スープ」，　de l'eau「水」

●索引●

す

【音声吹き込み】
Clair Renoul

厳選フランス語日常単語

2024 年 4 月 5 日　初版第 1 刷発行

編　者　語研編集部
制　作　ツディブックス株式会社
発行者　田中 稔
発行所　株式会社 語研
〒 101–0064
東京都千代田区神田猿楽町 2–7–17
電　話 03–3291–3986
ファクス 03–3291–6749
組　版　ツディブックス株式会社
印刷・製本　倉敷印刷株式会社

ISBN978-4-87615-428-9 C0085
書名　ゲンセンフランスゴニチジョウタンゴ
編者　ゴケンヘンシュウブ

定価：本体 1,800 円＋税（10%）［税込定価 1,980 円］
乱丁本，落丁本はお取り替えいたします。

株式会社語研
語研ホームページ https://www.goken-net.co.jp/

本書の感想は
スマホから ↓